ÉCOLE SECONDAIRE
DU CHÊNE-BLEU

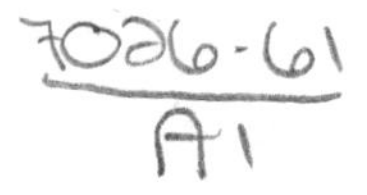

Le 2 de pique met le paquet

Du même auteur:

Les montres sont molles mais les Temps sont durs, roman, éditions Pierre Tisseyre, Montréal, 1988.

Drames de cœur pour un 2 de pique, roman pour la jeunesse, collection Conquêtes, éditions Pierre Tisseyre, Montréal, 1992.

Le 2 de pique met le paquet, roman pour la jeunesse, collection Conquêtes, éditions Pierre Tisseyre, Montréal, 1994.

Dans des ouvrages collectifs:

Psyraterie en mer des Orgasmes, nouvelle dans «Meilleur avant 31/12/99», Le Palindrome, Québec, 1987.

Mariage d'oraison, nouvelle dans «L'horreur est humaine», Le Palindrome, Québec, 1989.

Tranche de vie découpée dans la mortadelle de l'angoisse, nouvelle dans «Les enfants d'Énéide», éditions Phénix, Bruxelles, 1990.

Les risques du métier, nouvelle dans «Saignant ou beurre noir», prix de la nouvelle policière du Salon du livre de Québec 1992, L'instant même, Québec, 1992.

Nouvelles radiophoniques:

Passé compliqué, réalisateur : Raymond Fafard, lecteur: Jean-Louis Millette, Radio-Canada FM, 1985.

Libido blues, réalisateur : Raymond Fafard, lecteur: Luc Durand, Radio-Canada FM, 1988.

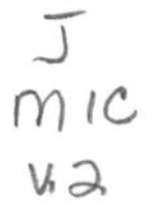

NANDO MICHAUD

Le 2 de pique met le paquet

roman

ÉDITIONS PIERRE TISSEYRE
5757, rue Cypihot — Saint-Laurent, H4S 1X4

La publication de cet ouvrage a été possible grâce aux subventions du Conseil des Arts du Canada et du ministère de la Culture du Québec.

Dépôt légal: 1er trimestre 1994
Bibliothèque nationale du Canada
Bibliothèque nationale du Québec

Données de catalogage avant publication (Canada)

Michaud, Nando

Le 2 de pique met le paquet : roman

(Collection Conquêtes; 40)

Pour les jeunes.

ISBN 2-89051-541-9

I. Titre. II. Titre: Le 2 de pique met le paquet. III. Collection: Collection Conquêtes.

PS8576.I243D48 1993 jC843' .54 C94-940012-2
PS9576.I243D48 1993
PZ23.M52De 1993

Maquette de la couverture:
Hélène Meunier

Illustration de la couverture:
Carol Poulin

ISBN-2-89051-541-9
234567890 IML 98765
10748

J'ai été jeune moi aussi... mais je vous jure qu'on ne m'y reprendra plus!

Walter Hégault
Les ados masos

1 LA PERSONNE DES CAVERNES

Lorraine et Roger (mes parents) ne sont pas difficiles à persuader. Ils sont même très heureux d'accepter l'invitation de Berthe et Léopold (les parents d'Émilie) à prolonger leurs vacances à la campagne. Pour se «refaire une santé», comme ils disent.

Je suis fou de joie à l'idée de passer deux semaines de plus avec Émilie, mais je ne suis pas dupe pour autant. Après toutes les aventures que j'ai vécues ici avec elle[1], je ne suis pas convaincu que ladite campagne possède des vertus si reposantes. Je sais maintenant qu'il faut se méfier de l'allure paisible des forêts qui cernent le lac Témiscouata. Il se mijote sous cette verdure tricotée serré des fureurs qui menacent d'exploser à tout moment.

À vrai dire, j'ai l'impression d'avoir vieilli de cinq ans au cours des dix derniers jours. Un mois en compagnie de l'ouragan déchaîné qu'est Émilie et on me ramasse à la petite cuillère! L'été au complet, je n'ose pas l'imaginer! On me rentre à Montréal en corbillard et je finis au club des Allongés, quelque part dans le coin de la Côte-des-Neiges, avec un gros bloc de granit gravé à mon nom posé sur la bedaine!

Je ne sais pas si c'est parce que son père dirige une petite usine de cercueils, mais avec Émilie on frôle la mort à tout bout de champ. Et ce flirt constant avec l'anéantissement semble l'exciter au plus haut point. Elle dit qu'il ne faut pas s'en faire avec ça, que le danger ne fait que mettre un peu de vie dans la banalité quotidienne.

---

1. Voir *Drame de cœur pour un 2 de pique* chez le même éditeur. Ce n'est pas obligatoire, mais le détour vaut le coup d'œil!

Elle a peut-être raison, mais moi je trouve que mourir à treize ans, ça manquerait totalement de savoir-vivre! Et, en ce domaine, je suis d'une politesse maladive...

Pourtant, malgré les risques, je ne céderais pas ma place pour tout l'or du monde. Je crois que je suis devenu fou... Depuis qu'elle m'a embrassé, là-bas sous terre[2], je ne touche plus terre, justement! Je fais de ces rêves, vous ne pouvez pas imaginer!

Tenez, la nuit passée... Non, il vaut mieux ne pas raconter ces fantasmes délirants. On va me prendre pour un malade, un obsédé, un dégénéré. Une patrouille de psychologues de choc va rappliquer en hélicoptère pour me faire taire. On va me passer la comisole de farce... euh, je veux dire la camisole de force, avant de me bourrer de tranquillisants débilitants. Encore heureux si j'évite ces séances de divan qui laissent toujours des brûlures sur la peau de l'inconscient!

Mes parents filent le parfait amour depuis qu'ils ont retrouvé leur fils unique et adoré qu'ils croyaient mort. Le bonheur leur va joliment. Ils ne se quittent plus d'une semelle et ne cessent de se jeter des regards langoureux. Ils me font penser à deux gazelles en chaleur. Avant, ils étaient matinaux comme

---

2. Je le répète, ce n'est pas obligatoire, mais...

des oiseaux de basse-cour et voilà qu'ils traînent au lit jusqu'à des heures pas possibles. Je voudrais bien savoir ce qu'ils fabriquent sous les draps. Enfin, je m'en doute un peu. Ils doivent jouer à deviner combien ils ont d'orteils... Tout à fait passionnant comme jeu... Comme on dit, c'est le pied!

Bref, ils me font penser à de jeunes tourtereaux. Tout d'un coup, je me demande quel âge ils peuvent bien avoir, ces deux-là. Curieux, c'est la première fois que je me pose cette question. Je les ai toujours considérés comme des vieux, tout simplement. D'ailleurs jusqu'ici, pour moi, le monde était divisé en deux groupes distincts: les moins de treize ans et tous les autres, c'est-à-dire les vieillards. Depuis que j'ai rejoint le deuxième groupe, je commence à nuancer mes affirmations. Je capote, c'est sûr!

En tout cas, ce n'est pas moi qui vais me plaindre de les voir heureux; au moins, pendant ce temps-là, le paternel m'oublie un peu. Ces derniers temps, il n'arrêtait pas de me réprimander à propos de tout et de rien.

○

Il y a déjà une semaine que nous sommes sortis de cette satanée caverne où nous avons failli laisser notre peau[3]. J'ai retrouvé mes forces, mais je n'étais pas beau à voir les premiers jours. Je devais ressembler à un petit oiseau malade tombé du nid. J'ai dormi presque sans arrêt pendant quarante-huit heures.

Les frères Gagnon et Caron ont quitté l'hôpital hier soir. On a réussi à leur rafistoler la carcasse. Ils se sont arrêtés ici en revenant chez eux et Gontran, le père des premiers, a sorti son vocabulaire du dimanche pour nous «exprimer une autre fois son infinie gratitude pour avoir sauvé ses fils d'une mort affreuse». Tout laisse croire que la chicane de clôture, qui opposait les deux familles depuis des générations, va être mise en veilleuse pendant un moment.

Ce matin, en première page du journal, il y avait une photo du chef des braconniers qui avaient aménagé une conserverie de gibier dans notre caverne. Le vilain s'est évadé. Il a pris le large pendant son transfert à la prison de Québec. Le porte-parole de la police a affirmé aux journalistes que le bandit a profité d'un arrêt à un Dunkin' Donuts

---

3. Aussi bien vous résigner, si vous ne lisez pas ce roman, vous allez le regretter toute votre vie.

pour fausser compagnie à ses accompagnateurs. Ceux-ci prétendent qu'il s'est enfui par un trou de beigne. Bon vent! Souhaitons seulement qu'il soit parti traquer le dangereux rhino féroce laineux à trois cornes quelque part sur les hauts plateaux de l'Antarctique.

Bref, tout va bien. Vendredi prochain, Léopold ferme sa fabrique de boîtes à cadavres pour les vacances annuelles. Il nous a promis une surprise pour samedi. Nous avons beau le houspiller, il refuse de donner des précisions.

○

Je suis assis sur le perron, absorbé dans la lecture de *Les transpirations d'un dessous de bras inspiré*, un roman publié à la Courte aisselle par un certain Terbrand Gaucher. Plus précisément, je déguste l'épisode final au cours duquel le dessous de bras démontre qu'il n'est pas du genre à se moucher du coude. Je suis à deux doigts de connaître le dénouement de cette poignante histoire. J'ai peine à retenir mes larmes; le héros va bientôt rendre l'âme entre les mains de l'abbé Hô qui se trouve être l'aumônier d'une fabrique de désodorisant (on se demande où ils vont chercher tout ça!). C'est à ce moment qu'Émilie arrive en coup de vent.

— Laisse tomber ton livre, l'intello; il faut retourner dans notre caverne!

— Qu'est-ce que tu complotes, encore?

— Ne discute pas et suis-moi!

— Arrête de te prendre pour ma mère! Je ne suis pas à ton service, après tout!

— Tiens, tiens!... Beau comme un dieu, mais râleur comme un vieux bouc qui se serait pris la barbichette dans une clôture barbelée! Ah, les mecs! plus ça vieillit, plus ça devient aigri! Comme disait Confucius, tous les gamins mènent à homme — et c'est bien dommage!

Elle se penche vers moi et, vachement théâtrale, elle susurre d'une voix rauque:

— J'ai eu une idée de gééééénie, mon chééériiiiii!

Elle se redresse et pouffe de rire. Je sais qu'elle joue la comédie, mais ça n'empêche pas son souffle chaud de s'insinuer dans mon oreille. Du coup, j'ai l'impression qu'un nuage m'emplit la tête et me met du flou dans les idées. Un frisson me court sur la peau; ma volonté vacille. À quoi bon lutter, elle aura toujours le dernier mot, de toute façon. Je me résigne en soupirant.

— O.K., arrête ton cinéma! Laisse-moi finir mon roman et je te suis. J'en ai à peine pour deux minutes.

— Je dois apporter de quoi écrire; j'ai des notes à prendre. Dépêche-toi, je vais chercher ce qu'il me faut et je reviens tout de suite.

Encore étonnant qu'elle ne m'ait pas demandé d'y aller à sa place...

En cours de route, Émilie m'explique son idée.

— J'ai besoin d'argent et j'ai décidé de me créer une job d'été! Je vais monter ma propre T.P.E.

— T.P.E.?

— Très Petite Entreprise, gnochon! Je place une annonce dans le journal et...

— Tu veux offrir tes services comme femme de ménage?

— Niaiseux!!! D'abord, on ne dit plus «femme de ménage», c'est sexiste; il faut dire «personne de ménage».

— Mais «personne», c'est féminin aussi!

— C'est un féminin neutre.

— Ça existe ça, des féminins neutres? En ce cas, il y a peut-être aussi des masculins qui le sont, non?

— Cesse d'ergoter et écoute; tu vas voir que mon idée est pas mal plus géniale que tu ne le crois. Voilà: j'invite les gens à venir visiter notre caverne, «cette curiosité géologique incomparable qui fera l'orgueil et la prospérité de notre région», je m'installe à l'entrée et je réclame deux piastres par tête de pipe qui passe. Et dans ma poche, les gros billets! À la fin de l'été je serai riche!

— Pas bête, en effet. D'ailleurs, j'aurais dû y penser. L'été dernier, je suis allé en France avec mes vieux et nous avons dû payer le prix fort pour pénétrer dans les grottes préhistoriques de la Dordogne. Nous avons, entre autres, visité celle de Lascaux avec ses peintures rupestres saisissantes. Malheureusement, j'ai appris en ressortant que ce n'était qu'une reconstitution grandeur nature. La vraie est fermée au public depuis 1963; les va-et-vient des touristes étaient en train de la bousiller. J'ai quand même été impressionné par ces répliques de dessins qui datent de trente mille ans. Nos ancêtres, les hommes des cavernes, n'étaient pas tous des manchots!

«Dis donc, j'y pense; pour ne pas être sexiste, faut-il dire les «personnes des cavernes»? Alors il faudrait dire également la «personne de Cro-Magnon», la «personne sapiens»?

— Eh que t'es débile, toi, parfois!

— Peut-être qu'il faudrait aussi parler de «l'abominable personne des neiges»? Tiens, encore, je vois un titre absolument non sexiste dans *La Presse* : «Les personnes-grenouilles de la Sûreté du Québec repêchent le corps d'une personne d'affaires des eaux du fleuve.» Et en sous-titre: «On soupçonne les personnes de main de la Pègre d'avoir fait le coup.» Ça serait joli...

Émilie pince les lèvres et relève le nez en gardant le silence, tandis que son front et ses joues s'empourprent. Je pense que j'ai enfin réussi à lui clouer le bec.

— Je blague! Tu pourrais rire, au moins!

— Je ne te trouve pas très drôle, espèce de petit macho de ruelles!

Je n'insiste pas; je suis une personne de bonne volonté, après tout...

Nous empruntons le sentier que les braconniers avaient tracé à flanc de montagne pour transbahuter discrètement leur marchandise. La quasi-totalité de la piste serpente sous les arbres. Mais, çà et là, il y a des percées à travers les branches qui ouvrent des vues sur le lac à vous couper le souffle.

Avec la chaleur qui sévit aujourd'hui, il monte de la surface de l'eau des vapeurs subtiles qui emplissent l'air et gomment le cru des rayons du soleil. Le vent ne s'est pas encore levé et pas une feuille ne bouge. Toutes choses semblent baigner dans une substance vaguement laiteuse qui confère à l'atmosphère un aspect mystérieux. De puissants effluves suintent de la végétation. Un mélange de relents d'humus humide et de bois pourrissant me fait tourner la tête. J'ai l'impression de me déplacer à l'intérieur d'un immense laboratoire duquel la Vie sort de la Mort et y retourne pour en ressortir aussitôt, et ainsi de suite...

Si ce n'était du chant des grillons et des oiseaux, je suis persuadé que je pourrais entendre la respiration oppressée de la forêt. Je pense même que je pourrais «voir» tourner le cycle du carbone! C'est la Nature qui broie du vert! C'est la chlorophylle des plantes qui ingurgite sans relâche du gaz carbonique et qui exhale l'oxygène dont nous avons besoin pour vivre.

Secouée elle aussi, Émilie me prend la main et la presse fortement dans la sienne. C'est banal, pourtant, des mains. Mais il faut croire que c'est branché sur quelque chose de plus réceptif, car ce simple geste me chavire. Une bouffée d'émotion irradie de ce nœud de doigts et se propage dans les moindres recoins de mon corps. Ça me fait mal au plexus, tellement c'est bon!

J'en suis à me demander si les humains ne seraient, en définitive, que de simples machines à s'émouvoir. Des robots inquiets programmés pour se mettre à frissonner aussitôt qu'on les caresse! En vente dans les meilleures quincailleries du Système solaire! Il vaut mieux en posséder plusieurs exemplaires; ces bidules se déglinguent pour un oui ou pour un gnon!

Émilie garde le silence, mais les pressions de sa main sont éloquentes. Je la regarde en souriant. Je veux lui indiquer que je regrette mes plaisanteries débiles de tout à l'heure. Elle tourne des yeux graves vers moi. Je me sens fouillé, scruté, dépiauté jusqu'à l'âme. Après quelques secondes d'une rare intensité, ses lèvres se retroussent en une mimique qui désarmerait les forces de l'OTAN au grand complet.

— Sais-tu, Patrick, que je commence à apprécier ta compagnie.

Je ne trouve rien de mieux à faire que de lui serrer la main encore plus fortement. De la buée embrouille ma vue; un petit ruisseau creuse son lit dans mes fosses nasales. Je suis un type qui vit très près de ses glandes; un type du genre humide...

Encore une centaine de mètres et nous allons arriver à l'entrée qu'utilisaient les braconniers pour rejoindre leur conserverie. Un système de leviers camouflé dans une talle de noisetiers permet de faire rouler l'énorme pierre qui défend l'accès à la caverne.

Mais une surprise de taille nous y attend. C'est d'abord la pancarte d'un beau «jaune pancarte» placée devant l'entrée qui attire notre attention:

Propité privé. Défance d'antrai.

— Je vais leur en foutre, moi, des propriétés privées à ces cochons illettrés! proteste Émilie. Les cavernes, c'est comme les épaves, ça appartient en propre à ceux qui les découvrent!

Elle se précipite dans la talle de noisetiers.

— Ah ben, merde!

Je m'approche et je découvre après elle que le système de leviers est bloqué par un cadenas gros comme une citrouille du mois d'octobre.

Avant que j'aie le temps de dire quoi que ce soit, une voix sévère crache:

— Éloignez-vous, nous n'avez pas le droit de rester ici. Allez chenapans, déguerpissez! Et qu'on ne vous y revoie plus, sinon!

Je me retourne et j'aperçois deux hommes bedonnants armés de fusils. Ils n'ont pas l'air d'avoir envie de rigoler.

Émilie me souffle à l'oreille:

— Le plus gros, c'est le maire; celui qui porte un veston en prélart, c'est le président de la chambre de commerce du comté.

D'après mon père, ce sont les pires racailles de tout l'est du Québec! Et Dieu sait qu'en ce domaine, ce n'est pas la concurrence qui fait défaut — ici comme ailleurs!

2 MAGOUILLES DE FRIPOUILLES

Émilie contre-attaque aussitôt:

— Je vais vous dénoncer aux agents de conservation de la faune. Il est interdit de circuler en forêt avec des fusils en dehors de la saison de la chasse.

— Tu nous prends pour des imbéciles, pauvre petite conne! Tu t'informeras: la chasse à la marmotte est ouverte douze mois par année! Nous sommes donc dans la plus parfaite légalité! N'avons-nous pas l'air de paisibles chasseurs de marmottes?

— Vous avez surtout l'air de deux gros tas de merde ambulants!

Le rouge monte aux joues du maire, tandis qu'il relève le canon de son arme. Son acolyte, plus calme, l'empêche de poursuivre son geste. Le président de la chambre de commerce a davantage l'allure du magouilleur sournois que du mec qui attaque de front.

— Allez! tirez-vous d'ici, sinon vous allez vous faire chauffer les fesses!

— Vous n'avez pas le droit de barrer l'entrée de ma caverne!

— Ce n'est plus ta caverne, le conseil municipal va bientôt exproprier le terrain. Elle appartiendra désormais à tous les citoyens et citoyennes du village.

Dépitée, Émilie bat en retraite.

— Vous allez avoir de mes nouvelles, gros porcs!

Ils esquissent quelques pas vers nous, mais ces sacs-à-tripes courent aussi vite que des limaces endormies. Dans le temps de le dire, nous disparaissons dans les broussailles.

— Je parierais que ces gredins m'ont volé mon idée. Ils ont l'intention d'aménager la caverne pour l'ouvrir aux touristes. Il y a sûrement de gros sous derrière tout ça. Après le gâchis du camping municipal — crois-le ou non, le maire a fait raser tous les arbres du terrain parce qu'il trouvait que ça faisait plus propre! — je n'ose imaginer les atrocités qu'ils mijotent.

— Je vois ça d'ici. Ils vont installer des peintures rupestres à numéros sur les parois de la caverne et appeler ça la grotte de *Last Call* !

— Ils vont disposer des squelettes en plastique phosphorescent un peu partout pour faire frémir les imbéciles.

— Des haut-parleurs diffuseront des râlements d'outre-tombe pour plus de vraisemblance.

— Je suis sûre qu'ils vont tout saloper. Pour ces escrocs, le summum de l'esthétique a la forme d'un centre commercial en béton qui se dresse au milieu d'un parking asphalté jusqu'aux confins de l'horizon! Le moindre bout de verdure les rend malades. Un arbre au bord d'une rue, ils trouvent que ça fait «habitant». Ils préfèrent le tapis d'Osite au gazon. Ils cimenteraient les plages aussi bien que le fond des rivières et des lacs s'ils en avaient la possibilité! On ne peut pas les laisser détruire ce monument de beauté naturelle!

— On va en parler à ton père. Il existe peut-être un moyen de les empêcher de tout saccager.

Lorsque Léopold rentre du travail le soir, il est déjà au courant du projet d'aménagement de la caverne. Tout le monde en parle au village. Un appel d'offres a déjà été affiché au babillard du conseil municipal. Il a d'ailleurs apporté un exemplaire des plans et devis. Les deux rats n'ont pas perdu leur temps.

On s'installe autour de la table pour étudier les documents. C'est encore plus désastreux qu'on l'a imaginé cet après-midi. Des tunnels seront percés pour passer d'une galerie à l'autre. Des escaliers et des tapis roulants sont prévus pour accélérer les visites. Tout a été pensé en fonction d'un seul critère: empocher le maximum d'argent en un minimum de temps.

— Mais c'est complètement ridicule! Ça va fonctionner sur la curiosité pendant quelques mois, mais ça ne peut pas tenir! Tout l'aspect intéressant de la caverne va être détruit! C'est comme si on demandait aux gens de payer dix piastres pour visiter le tunnel Louis-Hippolyte-Lafontaine à bord d'un autobus qui roule à cent cinquante kilomètres à l'heure!

— Et l'astuce est grosse, en plus! Une fois aménagé aux frais de la municipalité, le site sera loué pour une bouchée de pain à une compagnie privée déjà incorporée.

— Le genre «entreprise sans but non lucratif», je suppose!

— Sûr que nos moineaux en sont les propriétaires. Mais inutile de chercher à les coincer par ce biais; ils ont sûrement retenu les services de prête-noms.

— Les contribuables vont payer, tandis que les profits vont aller dans les coffres de ces filous.

— On ne peut pas laisser cochonner cette caverne pour enrichir des escrocs!

— Il y a une réunion du conseil municipal demain soir pour faire adopter le règlement d'expropriation. On va y assister. Il faut aussi y amener un maximum de gens.

Léopold passe la soirée au téléphone. Chaque personne contactée a le devoir d'en contacter deux autres. La résistance s'organise.

Cela fait, le père d'Émilie sort d'un placard une boîte poussiéreuse aux coins racornis et en extrait de vieilles paperasses jaunies. Il les examine pendant plusieurs heures.

Avant de se coucher, il appelle son nouvel ami Gontran Gagnon pour lui faire savoir qu'il va lui intenter un procès.

— Ne t'en fais pas, mon vieux, c'est seulement une mesure de diversion pour contrer les plans du maire et de sa clique.

Bien que je sois à l'autre bout de la pièce, j'entends un «Mon hostie de chien sale!» rempli de colère, puis le clic d'un téléphone qu'on raccroche brutalement.

— Bof! fait Léopold, c'est peut-être aussi bien comme ça...

La trêve aura été de courte durée...

○

Le lendemain matin Léopold se rend à Rivière-du-Loup pour rencontrer son avocat. En revenant, il rate une courbe et entre dans le décor avec sa voiture. Il semble qu'une pièce de la direction ait cédé au pied de la grande côte Croche. Il s'en est tiré indemne, mais il a eu beaucoup de chance. Dix mètres plus loin, il aurait plongé dans un ravin profond. Sa chevrolet est dans un tel état qu'il est impossible de déterminer s'il y a eu sabotage ou non. Il faudra attendre l'avis d'un expert. La coïncidence est étrange, en tout cas! S'il y a eu traficotage, ça veut dire qu'on compte des «visages à deux faces» parmi les gens rejoints hier au téléphone. L'affaire devient sérieuse.

○

La réunion du conseil est tumultueuse; l'autre partie a amené son monde, elle aussi. Il y a même des gens parmi la foule qui ne sont pas de la région. Ce sont probablement des touristes curieux qui s'ennuient. À part le lac et les balades en forêt, les distractions sont rares dans ce coin de campagne.

Lorsque le maire veut faire adopter la résolution d'expropriation, Léopold intervient.

— La caverne est située sous un terrain dont une portion appartient à Gontran Gagnon, tandis que l'autre m'a été léguée par mon oncle Cléophas qui, vous le savez, est mort sans enfant. Consultez le cadastre, vous verrez que je dis vrai.

— Et puis? réplique le maire. Qu'est-ce que ça change?

— Ça change tout! Du moins pour quelque temps. Ce matin, j'ai chargé mon avocat d'intenter un procès à Gontran Gagnon. Je veux régler une fois pour toutes la chicane de clôture qui oppose nos deux familles. Or, le litige concerne une partie du terrain que vous voulez exproprier. Mieux: l'entrée de la caverne se trouve précisément au milieu de cette partie. Ma requête a été dûment déposée cet après-midi au Palais de Justice de Rivière-du-Loup. Puisque la cause est maintenant devant les tribunaux, il faudra attendre qu'elle soit entendue et que le juge ait rendu son verdict avant de pouvoir procéder à l'expropriation.

Le dénommé Gagnon, qui s'est rangé dans le camp du maire, fulmine en diable. Il ne peut s'empêcher de crier:

— T'en as pas fini avec moi, mon salaud! Je te réserve un chien de ma chienne!

Léopold ne se laisse pas décontenancer.

— Comme vous voyez, ce n'est pas demain que le litige va se régler. Vous pouvez compter sur moi pour faire durer le plaisir pendant plusieurs années si cela est nécessaire.

Les partisans de Léopold applaudissent à tout rompre, tandis que ceux du maire vocifèrent des «chouououuus» retentissants.

Lorsque le brouhaha cesse, Léopold continue son intervention:

— Ce n'est pas tout. J'ai également déposé une demande de concession au ministère des Mines pour exploiter le charbon de la caverne. Si je l'obtiens — et je ne vois pas pourquoi je ne l'obtiendrais pas — je serai le seul à pouvoir entreprendre des travaux dans le sous-sol de ces terrains.

Nouveau charivari dans la salle. Léopold étend les bras pour calmer la foule et poursuit:

— Cela dit, je ne suis pas contre l'idée d'ouvrir la caverne aux touristes, bien au contraire. Je veux simplement que les citoyens aient leur mot à dire dans le plan d'aménagement. Lorsqu'un projet acceptable aura été mis au point, je cesserai les procédures et je collaborerai avec enthousiasme.

Le maire passe à deux poils d'exploser de rage! Heureusement qu'il se contient; avec ce qu'il se coltine dans la panse, les dégâts auraient été catastrophiques. Le village aurait été déclaré zone sinistrée. Des épidémies meurtrières auraient pu s'y déclarer.

En quittant l'assemblée, Léopold s'adresse à ses supporters réunis au pied de l'escalier de la salle paroissiale:

— Ça nous donne plusieurs mois pour nous retourner de bord. Nous aurons amplement le temps de convaincre la population. Le bon sens doit triompher à tout prix! Il y aura des élections à la mairie à l'automne; s'il le faut nous placerons quelqu'un de plus compétent à la tête de la municipalité. À mon retour de vacances, nous convoquerons une assemblée d'information. Nous inviterons des spécialistes des cavernes... j'ai oublié comment on appelle ces bébittes-là...

Quelqu'un lance:

— Ça ne serait pas des «léopologues», par hasard?

Pendant que l'auditoire s'esclaffe, Émilie souffle quelque chose à l'oreille de son père. Celui-ci poursuit:

— ... ça y est, ça me revient: des spéléologues. Bref, nous allons dresser un inventaire des possibilités de la caverne et nous allons monter un projet sérieux, scientifique et respectueux de la nature. Pas un de ces cirques clinquants et quétaines à la Walt Disney comme celui que nos amis veulent nous imposer!

Je ne sais pas pourquoi, mais j'ai l'impression que je connais déjà le nom du prochain maire...

Vendredi finit par arriver. À voir les parents s'activer, je commence à me faire une idée de la surprise qu'on nous réserve pour demain. Ça sent le super pique-nique. Roger prépare une sauce à spaghetti monstre. Lorraine fait cuire un bœuf bourguignon qui pourrait rassasier une douzaine d'ogres qui n'ont pas croqué de Petit Poucet depuis trois mois. Aussitôt que la bouffe est prête, elle est mise à congeler. Pendant ce temps, Berthe entrepose différentes sortes d'aliments non périssables dans des contenants en plastique. Ne dirait-on pas des préparatifs pour une grande virée en forêt ou quelque chose de ce goût-là?

En fin d'après-midi, Léopold se pointe avec trois embarcations en fibre de verre dans la camionnette de sa compagnie. C'est bien ce que j'avais cru: il se dessine une excursion de canot-camping à l'horizon.

Le soir, nous consultons des cartes topographiques pour reconnaître le trajet. Nous allons descendre la rivière Maskawatec. La randonnée doit durer cinq jours. Dès la fin du premier jour, nous entrerons dans une région sauvage qui n'est traversée par aucune route. Elle n'est sillonnée que par de rares sentiers boueux que seuls les piétons et les VTT peuvent emprunter. Il ne faut donc pas compter sur des points de ravitaillement. En raison des hasards de la géographie, nous décrirons une grande boucle et, après avoir franchi une centaine de kilomètres, nous reviendrons à quelques kilomètres de notre point de départ.

Léopold, qui a parcouru plusieurs fois le circuit, nous indique les principales difficultés sur la carte.

— Au début, la rivière est petite et les rapides ne sont pas très forts. Mais, puisqu'il n'y a pas beaucoup d'eau, il est nécessaire de tricoter serré pour contourner les obstacles. Il y a tout ce qu'il faut pour que des débutants prennent du plaisir en se faisant la main sans risque. Le parcours des deuxième et troisième jours est aussi facile. Au milieu du quatrième jour, la Maskawatec reçoit les eaux de la tumultueuse rivière Noire, ce qui double son volume. À partir de là, ça descend rondement. Cette section comporte plusieurs rapides de niveau un et deux qui sont assez excitants sans toutefois présenter de véritable danger. Au printemps, pendant la crue provoquée par la fonte des neiges, l'itinéraire ne serait pas à conseiller, mais en juillet il est parfait pour s'initier à la descente.

Roger intervient:

— Les courbes de niveaux sur la carte me permettent de déduire que la rivière coule au fond d'une sorte de canyon. Trouverons-nous des endroits pour nous arrêter?

— Ne t'inquiète pas. Il y a plusieurs excellents sites de camping le long des berges. Des bancs de sable fin qui s'étirent en pointe se sont accumulés sur la rive intérieure des méandres. On va pouvoir pique-niquer et se baigner chaque fois que l'envie nous en prendra. Nous ne serons pas dérangés; la Maskawatec n'est presque pas fréquentée. Nous ne rencontrerons probablement pas un chat pendant tout le voyage.

— MétéoMédia annonce du beau temps pour les prochains jours. Ça va être magnifique!

Je consacre le reste de la soirée à rassembler des affaires personnelles: canif, boussole, antimoustiques, hameçons, bobine de ligne à pêche, fil de laiton, etc.

Je n'oublie surtout pas le plus important: des briquets Bic. Je suis passé au dépanneur avant le souper et j'en ai acheté une douzaine. Depuis que je me suis retrouvé coincé sous terre avec des allumettes détrempées, j'ai juré que jamais je ne m'éloignerais à plus de trente centimètres d'un briquet au butane. J'irais jusqu'à en avaler un si j'étais sûr de ne pas le retrouver dans les toilettes le lendemain matin...

Il ne faut pas jouer avec lui, mais le feu, c'est quand même la vie! Je suis devenu fou du feu. Je veux être capable de faire du feu dans n'importe quelle condition, après le plus terrible naufrage, au milieu du plus aride désert de glace. Et ces bidules à 79 ¢ la pièce sont d'une efficacité étonnante. Même après une longue immersion, il suffit de souffler pendant quelques minutes sur le dispositif d'allumage pour qu'il recommence à fonctionner.

J'en dépose partout dans mes affaires: poche de pantalon, sac kangourou, ceinture de flottaison. J'en glisse un sous la bande de mon chapeau de paille. J'en attache un au manche de ma canne à pêche avec du ruban adhésif qui résiste à l'eau. J'en glisse un autre dans la chaîne que je porte au cou. Je m'en fixerais bien quatre aux poignets et aux chevilles, mais Émilie et les parents vont se payer ma tête. Sur le ventre, alors? Non, je vais sûrement me baigner...

À moins que... Pourquoi pas?

Je colle les six qui restent trois par trois sur deux longs morceaux de ruban gommé que j'enroule autour de mes cuisses. Avec mon maillot boxeur, rien n'y paraîtra. Plus outillé que ça, tu meurs! Même que Vulcain, le dieu romain du feu, doit être jaloux de mon équipement!

À neuf heures je suis déjà au lit, mais je suis tellement excité que j'éprouve une peine terrible à trouver le sommeil.

Dès six heures, nous sommes debout. Le signal du départ n'est pourtant donné qu'à midi. On n'imagine pas combien il faut de préparatifs avant de se lancer dans une pareille équipée. La prudence commande de toujours prévoir le pire. Il faut donc apporter toutes sortes de choses qui ne serviront probablement pas. Par exemple, une trousse complète de premiers soins. Roger met même trois walkies-talkies dans des boîtes étanches fixées sous les sièges de chaque canot. Celui-là, il souffre du syndrome des communications rapides et à tout prix. Si on l'avait écouté, il aurait apporté son fax! Pas étonnant, il est informaticien.

Il est nécessaire également de mettre la cargaison dans des sacs imperméables et de les attacher aux montants des canots. Si on chavire, on devra pouvoir récupérer les provisions et on aura besoin de vêtements de rechange qui seront secs. Cela fait, il faut aussi passer en revue les consignes de sécurité et avoir un aperçu des techniques de canotage en rivière.

Nous partons enfin. Comme prévu, le temps est splendide. Sur l'eau, le soleil tape encore plus fort. J'ai été bien avisé de me couvrir le chef avec le chapeau de paille que mon oncle Réginald m'a rapporté du Mexique. Les UV doivent faire des heures supplémentaires.

Dès les premiers rapides, l'euphorie me gagne. Émilie occupe l'avant du canot et moi l'arrière. En descente de rivière, ce n'est pas le pagayeur de poupe qui dirige, ce sont les deux équipiers. Il faut donc que ceux-ci aient une coordination parfaite. Et celui qui est à la proue doit garder les yeux grands ouverts. C'est lui qui est à même d'apercevoir les obstacles. Sa tâche consiste à faire passer la première moitié de l'embarcation à l'endroit le plus propice. L'autre n'a qu'à faire suivre la deuxième moitié et le tour est joué.

L'idée est d'essayer de toujours se maintenir dans le courant principal, là où le volume d'eau est le plus important. Ce n'est pas toujours facile. Il faut réagir au quart de seconde; un caillou n'attend pas l'autre. Les plus vicieux sont ceux qui émergent à peine, on ne les voit qu'au dernier moment. Parfois, on en heurte un d'aplomb et ça racle fort en dessous du canot. La mince paroi de fibre de verre ondule comme si elle était faite de jello.

Après les passages difficiles, nous nous arrêtons pour souffler un peu. Déjà deux heures que nous descendons à vive allure. Nous sommes exténués; nous faisons halte pour nous baigner et manger. L'eau est limpide et juste à la température idéale. Le bien-être total, je vous dis!

Trois quarts d'heure plus tard, le chef d'expédition donne l'ordre de rembarquer.

— Il ne faut pas traîner, nous devons nous rendre au site du Rocher fendu et monter le camp avant la noirceur. La route est encore longue. Et le dernier rapide doit être franchi à la cordelle. Les draveurs de jadis surnommaient cet endroit les Portes de l'enfer. Ce nom dit bien ce qu'il veut dire. Des embâcles s'y formaient fréquemment et les patrons — des Anglais, bien entendu — exigeaient qu'on aille les faire sauter à la dynamite. Chaque printemps, des travailleurs y laissaient leur peau. C'est sur le dos de ces pauvres gueux que notre pays a été édifié...

Roger l'interrompt:

— Ne prends pas le mors aux dents, Léopold; c'est du canot-camping que nous faisons, pas de la politique!

Léopold poursuit comme s'il n'avait rien entendu:

— Un demi-kilomètre assez tumultueux, vous verrez! Il faut compter une bonne heure pour passer à travers à la cordelle.

— C'est quoi, ça, la cordelle? que je demande à Émilie.

— C'est une technique pour éviter les portages lorsque le volume d'eau n'est pas suffisant ou lorsque le rapide est trop dangereux. Une fois sur place, tu vas tout de suite comprendre de quoi il s'agit!

Nous repartons en chantant des chansons débiles dans lesquelles il est question de Bretons qui ont des tables rondes, à moins que ce ne soient des chevaliers qui portent des chapeaux ronds — ou alors aucune de ces réponses. Quand on est heureux, on a tendance à négliger les détails.

L'après-midi s'écoule doucement. Ce deuxième tronçon de la Maskawatec est beaucoup plus calme. Nous rencontrons toutes sortes d'animaux sauvages: loutres, visons, castors, canards, grands hérons bleus, aigles pêcheurs, etc. Ils se sauvent à toutes jambes (à toutes palmes ou à tire d'ailes, c'est selon les dispositions de chacun) lorsque nous approchons. Saisissant!

Entre autres, je n'oublierai jamais le spectacle de cette courageuse maman cane avec ses canetons. Lorsqu'elle nous aperçoit au détour d'un méandre, elle s'empresse d'abord de cacher sa couvée sous les branchages au bord de la rivière. Ensuite, elle revient vers nous et nous monte un cinéma ahurissant. Elle court sur l'eau en battant des ailes, en tournant en tous sens, se dressant parfois sur la queue, la poitrine relevée; on dirait un puissant hors-bord au décollage.

Bien sûr, cette chorégraphie démente est destinée à détourner notre attention de ses enfants. Elle n'hésite pas à affronter la mort pour assurer la survie de sa descendance. Et il s'en trouve encore pour prétendre que les bêtes ne connaissent pas la compassion!

Nous arrivons enfin à la tête du dernier rapide de la journée, les fameuses *Portes de l'enfer*. On entend rugir le monstre longtemps avant de l'apercevoir. Un grondement incessant qui ressemble à un roulement de tonnerre qui n'en finirait pas de s'étirer. On dirait que le sol tremble, tellement l'effet sonore est puissant. Même les arbres semblent impressionnés par ce fracas qui ne doit jamais s'arrêter. Il n'y a pas de doute, c'est proprement infernal!

Profitant d'un planiole[3], les trois canots se collent ensemble et glissent lentement pendant que le chef nous donne ses instructions:

— La rivière va se rétrécir, il y aura une cinquantaine de mètres d'eaux vives suivie d'un méandre très prononcé qui tourne à droite et qui débouche sur un bassin assez large. Le rapide s'amorce dix mètres après la sortie de ce méandre. Il s'agit de prendre la courbe en se laissant porter par le courant sans chercher à couper court par l'intérieur. Aussitôt que le rapide sera en vue, le pagayeur d'avant devra «appeler» à droite de manière à virer vers l'amont, tandis que le pagayeur arrière imprimera de la vitesse au

3. Planiole: section d'eau calme avant ou après un rapide.

canot. Comme ça, celui-ci viendra s'immobiliser en douceur parallèlement à la berge, le nez orienté vers le haut de la rivière.

Ça se déroule comme prévu. Les eaux vives, la longue courbe, puis voilà le rapide. Époustouflant! Tout d'un coup, la rivière semble disparaître, comme si elle dégringolait un escalier d'écume.

Nous pourrions avoir amplement de temps et d'espace pour nous arrêter sans aucun problème en utilisant la technique que Léopold vient de décrire. Nous le pourrions certainement. Mais il y a ce grand bêta de sapin touffu étendu de tout son long, à cinq mètres devant. Il a probablement été déraciné par l'érosion. Quoi qu'il en soit, il barre la rivière dans presque toute sa largeur.

— Machine arrière toute! hurle le chef d'expédition avec assez de force pour couvrir le tumulte des eaux déchaînées.

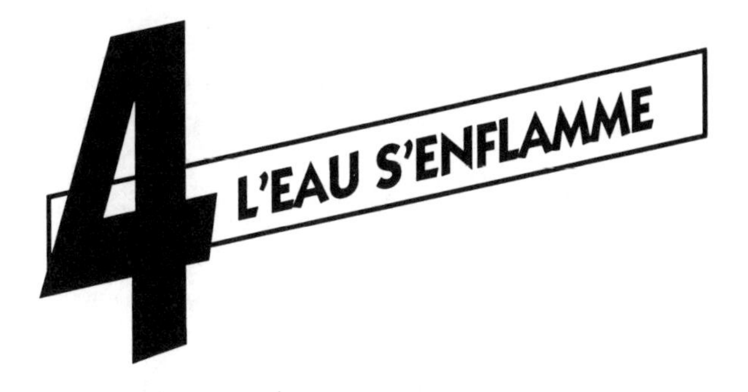

4 L'EAU S'ENFLAMME

Les trois équipages inversent aussitôt les moteurs. Les canots des parents s'immobilisent promptement. Mais les petits ados-vapeur qui propulsent le nôtre ne réussissent qu'à en faire diminuer la vitesse. Le rapide continue de nous «aspirer». Il va falloir inventer quelque chose de génial sans tarder!

L'arbre est tombé de biais par rapport à la rive, de telle manière qu'il subsiste un passage minuscule par la gauche. L'inconvénient, c'est que la tête du sapin trempe dans les premiers bouillons du rapide. Le tronc et son fouillis de branches chargées d'épines font obstacle et dévient le courant principal dans cette direction. On aurait voulu installer un «entonnoir» pour nous forcer à nous engager dans cet enfer liquide qu'on n'aurait pas procédé autrement.

Malgré les efforts, notre canot est irrésistiblement attiré vers le goulot d'étranglement. Et plus on s'approche, plus on prend de la vitesse. Ce n'est pas le moment de faire des mathématiques, mais je comprends soudainement ce que signifie l'expression «progression géométrique».

Mes forces s'amenuisent rapidement. Mes coups d'aviron n'ont plus aucune vigueur et ont autant d'effet que si je brassais de la soupe avec une cuillère. J'entends Émilie qui halète d'épuisement, elle aussi. Il va falloir prendre une décision.

Je crie:

— Tiens-toi prête! je vais tenter de stopper le navire.

— T'as intérêt à réussir parce que ça bouillonne joliment devant. Et je t'assure que ce n'est pas du bouillon de poulet qui se mijote là-dedans! La côte est à pic et assez mal entretenue!

L'avant du canot s'engage dans le rapide et heurte une pierre. Le choc le fait dévier dans un courant secondaire. Un énorme rocher, assailli par des vagues déferlantes, barre la route. Si on s'écrase contre cette masse de granit, on va devoir continuer à pied — ou alors en civière, sinon en fourgon funéraire! Lorsque le milieu du canot franchit la première «marche», il reste coincé pendant un moment, à cheval sur un seuil, en équilibre instable.

À ma hauteur, les eaux sont encore calmes. Je m'empare de l'amarre fixée à la poupe et je me jette à la flotte sans hésiter. J'amerris à côté de la tête du sapin. J'enroule la corde autour de l'arbre, je fais une boucle et je tire. Ça glisse. Je tire avec l'énergie du désespoir. Le glissement ralentit.

Je me tourne vers l'aval. Émilie vient de sauter sur une roche battue par l'écume. L'eau à mi-cuisse, fortement courbée vers l'amont, elle lutte contre le courant pour se maintenir debout. Bien qu'en situation précaire, elle fait de son mieux pour retenir l'embarcation à l'aide de l'amarre de proue. Nos efforts conjugués parviennent enfin à l'immobiliser. Je solidifie mon attache.

— Ça va, tu peux rembarquer. Viens me rejoindre en rampant par-dessus les bagages. Prends bien soin de ne pas faire chavirer le canot. Si jamais il se remplit d'eau, plus rien ne pourra le retenir!

Trente secondes plus tard, elle saute à côté de moi en disant:

— Courage Robinson! j'aperçois une île déserte, là-bas, dans les confins brumeux de l'horizon. Allons-y ensemble fonder une nouvelle race fière et noble. On devrait pouvoir y arriver avant vendredi... prochain.

Ah celle-là! Il n'y a pas de situation assez dramatique pour l'empêcher de plaisanter.

En s'agrippant aux branches, on atteint la rive sans peine. Je me rends compte avec un peu de dépit que j'ai perdu mon chapeau de paille. Et avec lui, un de mes briquets Bic. Bah! il m'en reste tout de même encore onze; pour quatre jours, ça devrait suffire...

Une fois sur le plancher des vaches, je donne un coup sec sur la corde pour défaire la boucle et je tire notre esquif de sa fâcheuse position.

Oufff! je suis de plus en plus convaincu qu'un beau jour la fameuse «tranquillité» de la campagne va m'épuiser à mort!

Les parents ont connu moins de problèmes. Ils ont réussi à aborder au pied de l'arbre déraciné. Pendant quelques minutes, ils ont été terriblement inquiets. Lorraine me presse sur son cœur en disant:

— Je suis très fière de toi; tu as fait preuve de beaucoup de courage et de sang-froid.

Je ne sais pas pourquoi, on dirait que cela agace Roger. Ma parole, il est jaloux! Il prend ma mère par la main et l'entraîne avec lui en déclarant:

— Ce n'est pas tout, ça; il faut quand même le franchir, ce foutu rapide.

En avançant sur une pointe rocheuse, nous jouissons d'une vue parfaite sur le tumulte. L'eau bouillonnante se fraye un passage à travers d'énormes rochers. Ça déferle de toutes parts. La rivière est blanche d'écume d'un bord à l'autre. Je n'ose pas imaginer ce qui serait arrivé si nous avions été jetés là-dedans avec notre coquille de noix.

Après avoir étudié le parcours, nous entreprenons la descente à la cordelle. Il s'agit de marcher à côté du canot tout en le dirigeant à l'aide des longues amarres fixées aux extrémités. En tirant sur l'avant ou l'arrière, selon le besoin, on lui fait contourner les obstacles. Il est important de ne pas le laisser se mettre en travers du courant, car nous ne pourrions plus le retenir. Il risquerait alors de se coincer entre deux rochers et la force hydraulique le casserait en deux comme un fétu de paille. C'est ce que les experts en descente de rivières appellent «cravater». On pourrait aussi appeler ça «frapper un nœud». L'événement met toujours fin à l'expédition, faute de moyen de transport…

Le maire n'est pas encore passé par ici, ce qui fait que le fond de la rivière est très inégal. L'eau est tellement agitée qu'il n'est pas possible de savoir où l'on pose le pied. C'est tout plein de pièges sournois. Parfois, en croyant prendre pied sur une roche, je m'enfonce jusqu'au cou dans un trou. Je dois surtout résister à la tentation de m'accrocher aux rebords du canot pour me retenir; ça le ferait chavirer.

On arrive enfin en bas du rapide. L'estimation de Léopold se révèle juste. Nous avons pataugé pendant une heure dans ce jus de cailloux. Je suis exténué comme ce n'est pas permis. Je marche avec difficulté; j'ai l'impression que mes vieux Adidas sont remplis de plomb. Même mon short me semble lourd. Je me tâte; mes briquets sont encore là.

On rembarque et, après quelques coups de pagaie, le site du Rocher fendu est en vue. Le phénomène géologique qui donne son nom à l'endroit est très bizarre. Une pierre énorme, dressée comme un menhir, est fendue en deux en plein milieu par une autre pierre qui affecte la forme d'un fer de hache. On dirait un gigantesque morceau de bois qui a été ouvert par un coup de cognée donné par un géant fabuleux.

Au pied de ce monument de granit, il y a une plage de sable fin sur laquelle on va pouvoir dresser les deux tentes. Il y a aussi une table de pique-nique rudimentaire et un emplacement pour faire du feu. Roger, le roi du calembour débile, ne peut s'empêcher de dire:

— Mon dieu que c'est joli! Ça ferait une photo de choix pour illustrer le mois de juillet du calendrier scout de la paroisse de Saint-Zano-sur-Glass!

Le chef de l'expédition distribue les tâches et, en moins de rien, le bivouac est installé. Je me charge d'allumer un feu de camp et, bientôt, nous bouffons. Je dévore un premier sandwich avec tant d'avidité que je passe à deux doigts de m'avaler une main.

Après le repas, Léopold propose d'aller pêcher. Je décline l'invitation: je suis trop fatigué pour taquiner la truite. Il n'y a plus rien de bon à tirer de moi; j'ai trop de mou dans les articulations. Je me pieute! Dans la même tente que les parents, malheureusement...

En me voyant me diriger vers mon sac de couchage, Émilie me lance:

— Dors bien! Essaie surtout d'oublier que le bois est infesté d'ours voraces et de coyotes féroces... Sans compter les lynx qui n'ont pas la réputation d'avoir froid aux yeux, eux non plus. Il y a même des chasseurs qui affirment que les cougars sont revenus dans la région dernièrement...

Ah la petite peste! Elle sait très bien que j'ai une peur bleue de tout ce qui s'appelle bête, réelle ou imaginaire. Pourtant, je sais par expérience que les animaux les plus dangereux qu'on puisse rencontrer, en forêt comme ailleurs, ce sont ceux qui marchent sur deux pattes et qui n'ont pour plumes que des stylos Bic...

○

Je suis réveillé au milieu de la nuit par un violent orage. Les éclairs zèbrent les murs de la tente et dessinent sur la toile des ombres aux formes maléfiques. Des coups de tonnerre fracassants secouent la structure. Il pleut à torrents. Heureusement que le nylon du double toit est étanche.

Au risque de passer pour une lavette, je dois avouer que je suis presque malade de peur. Si jamais la foudre frappait le Rocher fendu... Si jamais un typhon se formait... Si jamais les bêtes sauvages profitaient du bruit pour s'approcher en douce... Si jamais les mauvais esprits de la forêt s'associaient à la tempête pour nous causer les pires tracas... Si jamais...

Après quelques minutes, les éclairs pâlissent et le tonnerre s'éloigne. La pluie adopte alors un rythme régulier qui laisse croire qu'elle va durer toute la nuit. Ça crépite comme une mitrailleuse sur la toile tendue. La régularité du vacarme finit par me rendormir.

○

Bien entendu, je rêve qu'un ours enragé rôde autour du camp. Dans mon délire onirique, il prend diverses formes. Tantôt, c'est un ours noir de nos régions; tantôt, c'est un grizzly des Rocheuses; et, tantôt, c'est plutôt un ours blanc de l'Arctique.

Lorsque je raconte mon cauchemar à Émilie, le lendemain matin, elle ne peut s'empêcher de dire:

— On s'en doutait jusqu'ici mais, maintenant, la preuve est faite: les ours se suivent et ne se ressemblent pas!

— Très drôle!

Je m'abstiens de lui en raconter la conclusion. Depuis l'aventure de la caverne, j'ai tendance à prendre mes rêves au sérieux. Et elle-même prendrait peut-être celui-là un peu moins à la légère, si elle savait que ces ours si différents avaient pourtant un point en commun: ils la déchiquetaient et la dévoraient sans mettre de gants (Roger dirait sans doute qu'autrement ils deviendraient des ours à gants mangeurs d'êtres numains)!

○

Lorsque l'on s'extrait des tentes, à la barre du jour, les dernières gouttes de pluie achèvent de tomber. Une brume, d'un blanc plus blanc que les draps des pubs de détergent, flotte au-dessus de la rivière et sur la forêt. On dirait que les arbres sont suspendus, comme accrochés dans un énorme cumulus. Leurs cimes ressemblent à des racines inversées qui plongeraient leurs ramifications dans une ouate compacte.

— Si le brouillard tombe, il va pleuvoir toute la journée; s'il s'élève, il va faire beau, décrète Léopold.

Quelques minutes plus tard, les premiers rayons de soleil percent les nuages et l'écran de vapeur se dissout. Le sol est tout détrempé mais, dans une heure ou deux, il n'y paraîtra plus. Nous avons de la chance; la Nature a la décence de s'épancher pendant que nous dormons.

Après un déjeuner copieux et peu banal (nous mangeons les douze truites attrapées hier soir par Léopold et Lorraine), nous inspectons nos canots, ces vaillants coursiers des eaux. La journée d'hier les a mis à rude épreuve; il ne serait pas sage de naviguer avec des embarcations fissurées. Bien nous en prend, car nous découvrons que les trois embarcations ont chacune une légère craquelure sur le flanc.

— Ça ne laisse pas passer l'eau, mais il suffirait d'un choc un tant soit peu violent pour que la fissure se transforme en trou. Il vaut mieux les radouber sans attendre.

Léopold mélange deux sortes de poudre à un liquide et il obtient une pâte de fibre de verre qu'il étend sur chacune des brèches, des deux côtés de la paroi.

Une demi-heure plus tard, les avaries sont colmatées, le stock est remballé et nous reprenons la route (le terme ne saurait être plus juste; dans les langues amérindiennes les cours d'eau navigables sont appelés «chemins qui marchent»).

La pluie a fait monter le niveau de la rivière d'au moins quinze centimètres et, par le fait même, le courant a pris de la force.

— Il n'y a pas de gros rapides dans cette portion de la Maskawatec. Nous allons simplement avancer plus vite que prévu, déclare Léopold.

Ça descend à vive allure! Malgré la vitesse, nous avons le loisir d'admirer la faune et la flore puisqu'il n'y a presque pas de manœuvres à exécuter. Il suffit d'un coup d'aviron çà et là pour corriger la trajectoire — et vogue la galère. J'en profite pour emmagasiner des milliers d'images dans ma mémoire. Ce diaporama personnel pourra m'aider à patienter, l'hiver prochain, lorsque je devrai attendre l'autobus, les deux pieds dans la sloche.

Parfois, Émilie s'assoit dos à la descente, les jambes allongées sur les bagages et me laisse diriger le canot. L'œil canaille, elle me jette un regard en coin en souriant doucement. Je ressens comme un vide au creux de la poitrine. Je crois que je suis heureux.

Vers une heure, c'est la pause dîner. Puisque nous sommes en avance sur l'horaire, on va pouvoir flâner un peu. Après la bouffe, je m'offre une petite sieste à l'ombre d'un grand pin.

Ce sont des bruits de moteur et la voix de Berthe qui me tirent du sommeil. Elle fulmine:

— Depuis que ces VTT ont envahi le monde, il n'est plus possible de trouver un endroit tranquille! Partout où il existe un sentier, on est sûr de rencontrer ces pollueurs d'oreilles! Je me demande quel plaisir ils peuvent prendre avec ces machines qui font un bruit d'enfer et qui puent l'essence à dix mètres.

Les ronronnements s'éloignent et se noient dans les gazouillis de la rivière. Ce sont sans doute des jeunes qui jouent aux explorateurs. Comme dans Startreck, ils cherchent à «découvrir de nouveaux mondes étranges et, au mépris du danger, faire reculer les frontières de l'inconnu» — le cul rivé à une selle bien rembourrée. Stupides, peut-être, mais pas vraiment méchants.

Le soleil tape à son max. Nous sommes tous allongés sur le sable en train de nous faire rôtir le lard. Nous gloussons d'aise comme des chiots qui viennent d'avaler la moitié de leur mère sous forme de lait.

Il ne subsiste plus aucune trace de la pluie de la nuit passée. La végétation exhale une touffeur apaisante qui sent bon les herbes de Provence. Les grillons ont branché leurs amplis sur Manic-5 et ils s'en donnent à cœur joie. La nature palpite de toutes parts; l'air lui-même vibre, entraîné aussi bien par les sons qui le traversent que par la chaleur montante. Difficile d'imaginer qu'il s'accumule au moins quatre mètres de neige ici chaque hiver.

Vers trois heures, les corps recommencent à s'animer. Il faut reprendre la route.

Une petite envie de pipi me pousse à m'engager dans un sentier qui s'enfonce dans l'étroite lisière de forêt qui se dresse entre l'eau et la falaise.

Un emplacement de tente a été défriché à travers les broussailles à quelques pas de la berge. Sans doute des amoureux qui voulaient s'isoler. En tout cas, j'ai la preuve que ce n'étaient pas des amoureux de la nature. Les miroitements du soleil sur un morceau de verre attirent mon attention. En y regardant de plus près, je découvre deux bouteilles à moitié remplies qui gisent au milieu d'un épais tapis de feuilles mortes. Il y a des gens qui ne respectent rien!

Je me déboutonne en me promettant de ramasser ces détritus qui déparent la nature. On ne peut pas passer son temps à se dire : ce n'est pas de ma faute, je ne m'en mêle pas. Au contraire, il faut redoubler d'attention afin de compenser pour les irresponsables qui n'ont aucun respect pour l'environnement.

Je me prépare à laisser ma vessie exprimer son point de vue sur certaines réalités humides de la vie, lorsque j'aperçois une petite fumée qui monte du sol. Je n'en crois pas mes yeux: au pied de l'une des bouteilles, les feuilles mortes s'enflamment spontanément! Comme dans un film fantastique...

Ça y est, ce sont les mauvais esprits de la forêt qui attaquent...

5 PÉTARD DANS LA JOURNÉE

— Au feu! venez vite! que je hurle.

En attendant les renforts, j'exploite les ressources naturelles au maximum en dirigeant mon jet droit sur les flammes. J'y mets toute la pression dont je suis capable. J'en ai mal au ventre à force de pousser. Heureusement, il n'y a que quelques feuilles qui brûlent. Je suis arrivé au bon moment. Dix secondes de plus et il aurait été trop tard.

L'incendie aurait gagné la forêt et qui sait alors ce qu'il serait advenu de nous. Moi, surtout, bardé comme je suis de Bic chargés à bloc, j'aurais mangé la claque qui m'aurait changé en flaque!

Lorsque le reste de la bande rapplique, le feu est déjà éteint et j'ai remballé mon boyau d'arrosage personnel. On ne peut pas imaginer un pompier plus prompt et plus écologique que moi. Rien dans les mains, rien dans les poches, tout dans la culotte! Un sapeur sans reproche, quoi!

En apercevant les traces de cendre sur le sol, mon père entre dans une colère noir foncé.

— Mais bordel-à-bras, Patrick! as-tu perdu la tête? Qu'est-ce qui t'as pris d'allumer un feu en plein milieu de ces broussailles? Tu voulais nous faire griller au barbecue, ou quoi? Tu vas m'obliger à te confisquer ton briquet...

Heureusement, l'ancêtre ignore que j'en possède toute une collection.

— ... tu viens de prouver que tu n'as pas la maturité requise!

— Je t'assure, Roger, que je n'y suis pour rien. Je sais que tu vas trouver mon histoire difficile à avaler, mais il faut me croire: les feuilles se sont enflammées d'elles-mêmes, comme ça, sous mes yeux!

— Cesse de fabuler comme un enfant pris en défaut! On n'est pas en train de tourner la vingt-septième version de *Poltergeist*, ici! Tu ne te rends pas compte de la tragédie que tu aurais pu provoquer! Serais-tu atteint de pyromanie? Si c'est le cas, je te préviens que je connais la manière de te refroidir les idées, moi! Ça risque de chauffer pour tes plumes!

— Je te répète que j'ai vu les flammes apparaître tout d'un coup. Au lieu de m'engueuler et de m'accuser de tous les péchés de la Terre, tu devrais me remercier à genoux.

— Et quoi, encore? On devrait te décerner la médaille du courage, peut-être...? «Meu-cieu» prendra-t-il des petits cornichons et des craquelins avec ça?

— Si je n'avais pas été là au bon moment pour éteindre ce début d'incendie, la conflagration n'aurait pu être évitée. On n'aurait jamais réussi à s'enfuir assez vite pour échapper au bûcher. Et laisse-moi te dire que je te vois très mal dans le rôle de Jeanne d'Arc. La femme au foyer, ce n'est surtout pas ton genre!

— Ma parole, tu me prends pour un triple imbécile! Je te préviens, tu ne t'en tireras pas avec deux pirouettes et un mauvais jeu de mots!...

Il sait de quoi il parle.

— … Avoue, sinon je me fâche pour de bon…

— Écoute un peu, à la fin! J'étais en train de me soulager tranquillement la vessie, lorsque j'ai vu monter de la fumée du sol. Ça ne peut quand même pas être mon urine qui a mis le feu. Je sais bien qu'il existe une MTS vulgairement appelée chaude-pisse, mais je ne vois pas par quel sortilège je pourrais être infecté à ce point-là!

Roger happe l'air comme un poisson sorti de l'eau. C'est la sorte de tête qu'il fait lorsqu'il est tiraillé entre l'envie d'éclater de rire et l'obligation de conserver un sérieux de croque-mort.

Pendant qu'il cherche à se recomposer une figure convenable, Léopold ouvre la bouteille qui a été épargnée par mon arrosage systématique. Il promène le goulot sous son nez.

— Ce n'est que de l'eau.

— Et même si c'était un liquide inflammable — même de l'eau de feu, tiens! — comment aurait-il pu traverser la vitre, puis s'allumer de lui-même? Patrick nous raconte des histoires, c'est sûr!

— Nous sommes peut-être victimes d'un esprit frappeur, risque Lorraine sans y mettre trop de conviction.

Roger est très fier de sa formation scientifique et ne manque pas d'en faire étalage. Son souci de tout démontrer par la logique frôle l'obsession. Aussi, ce n'est pas le genre de personne à se satisfaire d'explications qui font intervenir des fantômes.

— Tu as trop lu de romans de Stephen King. Il n'y a pas d'effet sans cause. Des êtres surnaturels qui foutent le feu à distance, ça n'existe pas! Des petites filles lance-flamme, c'est du cinéma pour attardés. La seule chose que ces chimères ne pourront jamais embraser, c'est l'imagination des imbéciles!

Berthe intervient:

— Je pense que je sais ce qui s'est produit. Et le phénomène n'a rien de magique, crois-moi, mon cher Roger. C'est même rigoureusement scientifique, tu seras le premier à l'admettre...

Roger et Léopold la regardent avec un petit air sceptique. J'ai remarqué que plusieurs mecs de cette génération entretiennent de drôles d'idées sur les femmes.

— ...Récemment, j'ai regardé une émission de télé au cours de laquelle des experts discutaient des comportements préventifs à adopter en forêt.

Les sourcils des deux hommes se mettent en accent circonflexe. La rangée de rides de leur front est entraînée dans le mouvement général. On dirait l'encéphalogramme d'un agonisant qu'on essaie de ranimer à l'aide de puissants chocs électriques administrés à répétition. J'ai l'impression que si on parvenait à transcrire l'incrédulité en graphique, on obtiendrait une courbe assez semblable à ce réseau de sillons charnus qui tremblotent.

Berthe ne se laisse pas impressionner par ces mimiques qui suintent le doute. Elle poursuit:

— Jetez un coup d'œil à travers une des bouteilles et dites-moi ce que vous remarquez de particulier.

C'est Émilie qui intervient:

— Les objets placés de l'autre côté paraissent plus gros que nature. Ça fonctionne comme une loupe. Je pense que je comprends, moi aussi, ce qui s'est passé.

— Bravo! Tu es bien la fille de ta mère!

Les sourcils de Léopold s'arquent encore davantage. Encore un peu et ils vont aller rejoindre la naissance de ses cheveux quelque part au sommet de son crâne. Ces deux lisières de poils, dressées comme des sentinelles au milieu d'un océan de chair nue, lui composent une moumoute genre punk d'un très bel effet.

— ...La loupe-bouteille a concentré les rayons du soleil en un point précis et, après un certain temps, la chaleur a été suffisante pour enflammer les brindilles.

Je vois de quoi il s'agit. Quand j'étais plus jeune, je m'amusais à me brûler le dessus de la main avec l'oculaire de mon microscope. Les rayons convergeaient et se réduisaient à un petit point lumineux presque blanc sur la peau. Dans le temps de le dire, ça piquait comme une aiguille.

Étonnant, tout de même, qu'on puisse faire du feu avec de l'eau.

Berthe poursuit sa démonstration:

— Selon les experts, il est fréquent que les incendies de forêt soient allumés de cette façon. Des voyageurs négligents, qui ne mesurent pas la portée de leurs gestes, sont responsables de plusieurs catastrophes écologiques. Nous devons une fière chandelle à Patrick, si je peux m'exprimer ainsi, étant donné la circonstance...

Léopold et Roger se regardent en ayant l'air de penser: «Eh ben, mon vieux, les temps ont changé!» Roger, surtout, affiche une mine extrêmement embarrassée. Monsieur Science doit s'en vouloir à mort de ne pas avoir compris tout de suite le phénomène. En tout cas, il vient de se faire donner une leçon qu'il n'est pas près d'oublier. Cette anecdote démontre bien que la raison, lorsqu'elle n'est pas secondée par une imagination fertile, est aussi utile et encombrante qu'un moteur sans essence.

Les bouteilles vont rejoindre nos ordures dans la boîte étanche et insubmersible que nous transportons à cet effet. Nous reprenons la route. L'incident nous a retardés de quelques minutes à peine. Le courant est d'une telle intensité qu'on franchit la dernière section de la journée sans qu'on s'en rende trop compte. Nous arrivons à la halte de nuit avec deux heures d'avance sur l'horaire établi au départ. Nous allons pouvoir prendre un peu de bon temps avant de nous attaquer au souper.

Mais d'abord, il faut dresser le camp. Cette fois encore, les tâches sont assignées et l'installation est menée rondement. Après seulement deux jours dans la nature, nous avons adopté le rythme que réclame la vie des nomades que nous sommes devenus.

L'effet du grand air est bénéfique; je me sens en bien meilleure condition qu'hier. Si je n'ose pas affirmer que je pète le feu, c'est parce que j'ai peur d'allumer un incendie quelque part.

Lorsque les tentes sont montées, nous inspectons les alentours du site. La mésaventure de l'après-midi, qui aurait pu tourner à la plus sordide des tragédies, nous a échaudés, c'est le cas de le dire. Nous tenons à récupérer toutes les bouteilles vicieuses qui pourraient traîner dans le sous-bois afin de les «désamorcer».

Nous ne trouvons rien. Les gens qui nous ont précédés ici étaient mieux élevés que les irresponsables qui ont failli nous faire rôtir.

Nous voilà rassurés de ce côté-là. Il ne reste plus qu'une dernière mesure de sécurité à mettre en place. Les provisions de bouche sont suspendues à des branches. Le but est de les mettre hors de portée des bêtes sauvages qui pourraient rôder dans les environs pendant la nuit. On dit que les ours ne possèdent pas une très bonne vue, mais qu'ils jouissent, par contre, d'un odorat encore plus ravageur que celui des chiens. Ils peuvent passer à travers une tente sans la voir pour aller croquer un morceau de hamburger qui traîne à l'intérieur.

Cela me fait penser que je devrais dormir dans un hamac accroché entre deux arbres à dix mètres au-dessus du sol... Peut-être que là, je pourrais enfin roupiller en paix. Il est vrai que je suis sensible au vertige. Je cultive tant de phobies que j'ai sûrement des vices de fabrication. On a dû m'assembler à la noirceur et on aura oublié des boulons...

Une fois l'installation terminée, nous sommes tous partants pour la baignade. Après les fatigues et les émois de la journée, le besoin de faire trempette est impérieux.

Mais, avant de me jeter à l'eau, il faut que j'allume un feu. C'est une obsession chez moi: je ne conçois pas le camping sans un petit brasier qui crépite et des volutes de fumée qui s'élèvent paresseusement.

— Pas question! déclare Roger. Je n'ai pas envie qu'une de tes gaffes nous fasse tous griller.

Léopold n'est pas du même avis:

— L'incident d'aujourd'hui ne doit pas nous faire perdre la tête. Il n'y a aucun risque; l'emplacement est situé sur un affleurement rocheux à deux pas de la rivière et il est bien encerclé par des pierres. L'endroit est parfaitement sûr. Sans compter que le vent est tombé. De toute façon, nous aurons besoin d'une bonne braise pour faire cuire le souper. Aussi bien commencer tout de suite. Vas-y Patrick, mais n'exagère pas, quand même.

Roger ne dit mot, mais je sens qu'il n'est pas de bonne humeur. J'espère qu'il ne va pas recommencer à m'asticoter les rognons.

Je ramasse du bois mort que je dispose en pyramide par-dessus une écorce de bouleau. L'épaisse couche de cendre qui recouvre le foyer indique qu'on y a fait du feu récemment. Probablement les excursionnistes qui nous ont précédés de quelques jours.

Lorsque le petit bois semble bien enflammé, j'ajoute quelques morceaux plus gros. Une belle fumée blanche monte du brasier.

Convaincu que le feu est bien allumé, j'accroche le briquet que je porte au cou à une protubérance de la falaise, et je vais rejoindre les autres qui batifolent dans la rivière.

Mais juste au moment où je pique une tête dans une fosse profonde, de fortes détonations se font entendre. On dirait une rafale de mitraillette...

J'ai appris récemment que la chasse à la marmotte est ouverte toute l'année, mais je sais depuis longtemps que ce rongeur creuse son terrier autour des fermes et jamais en pleine forêt. Ce n'est donc pas un chasseur qui cartonne ces bêtes à l'arme automatique...

Que se passe-t-il, alors?...

6 UNE RUSE CARABINÉE

Tout le monde a le réflexe de s'enfoncer vivement la tête sous l'eau. Lorsque je risque un œil à la surface, le silence est revenu. Y aurait-il un tireur fou embusqué en haut de l'une des falaises qui bordent la rivière? Quelque dérangé de la citrouille chercherait-il à nous abattre comme du menu gibier? Attend-il qu'on se montre à découvert pour tirer de nouveau?

Après quelques secondes, la curiosité devient toutefois plus forte que la prudence. Nous grimpons sur la rive pour essayer de voir ce qui s'est passé.

Étrange, les braises du feu de camp ont été éparpillées...

— Je le savais bien qu'il nous ferait encore une connerie, exulte Roger.

Ça y est, c'est reparti!

— On cherchera des coupables plus tard; pour l'instant tous aux marmites, hurle Léopold.

On se rue vers la table sur laquelle ont été déposés les ustensiles de cuisine. Chacun s'empare d'un récipient et court à la rivière, le remplit d'eau et vient la jeter sur le feu.

On constate aussitôt que la démarche est inutile; les cendres n'ont pas été dispersées au-delà de l'affleurement rocheux. Encore heureux! Deux incendies dans la même journée, ça ne ferait pas du tout bon genre!

On encercle le brasier qui fume encore pour essayer de découvrir la cause de cette déflagration. C'est alors qu'une autre détonation se fait entendre. Le chaudron que je tiens par l'anse, à hauteur de genou, est transpercé de part en part. En même temps, une explosion, accompagnée d'une très forte lueur, secoue l'air.

— Couchez-vous!

On se jette par terre, en se protégeant la tête à l'aide de nos écuelles de tôle mince. Blindage dérisoire, s'il en est!

Je constate avec ahurissement que le Bic que j'ai accroché à la falaise tout à l'heure vient d'éclater. Tout le butane a brûlé d'un seul souffle; ça produit le même effet qu'une petite bombe. La chaîne au bout de laquelle il pendait a été pulvérisée. Je n'aurais jamais cru qu'une chose aussi petite pouvait receler autant de puissance.

Dieu merci, le briquet était appuyé contre de la pierre et il n'y a pas de broussailles à proximité. Le diable est à nos trousses, c'est certain!

Après une trentaine de secondes, une autre courte rafale retentit. Une pause, et ça recommence de la même façon.

Je tremble de terreur. Mes dents exécutent un solo de castagnettes frénétique. Les vibrations se répercutent dans tous mes os. Si je n'arrête pas de frémir ainsi, mes ongles d'orteils vont se détacher de leur base un à un. Je ne suis pas le seul à réagir de la sorte.

— Ne bougez plus, fait Léopold; je pense que j'ai deviné de quoi il s'agit.

Il fait un aller et retour à la rivière en rampant et jette le contenu de son chaudron au milieu du feu de camp.

— Attendez encore; on ne sait jamais.

Après dix minutes, on se relève enfin.

— Qu'est-ce qui s'est passé? demande Roger, vert de trouille.

— Patrick n'y est pour rien. J'ai l'impression qu'on a été victimes de mauvais plaisants. On va en avoir tout de suite le cœur net.

Léopold s'empare d'un bâton et fouille dans les cendres détrempées.

— C'est bien ce que je croyais, dit-il en extrayant du foyer une douille de carabine, puis une autre, puis une autre encore.

— Qu'est-ce que c'est que ça?

— Des saligauds ont déposé plusieurs cartouches chargées sous les cendres. Lorsque la braise a été assez chaude, les amorces ont sauté et les coups sont partis en tous sens. Patrick a eu de la chance. S'il était resté près du feu trente secondes de plus, il aurait pu être touché.

Léopold ne le sait pas, mais si j'avais été atteint en haut des cuisses, j'aurais été débité en menus morceaux.

La frayeur me laboure les entrailles. Mais pas question que j'en parle aux autres. Roger va tout de suite me délester de mes précieux briquets. Et ça, il n'en est absolument pas question. Le feu me suivra partout, quoi qu'il arrive.

— Il faut vraiment être dépourvu de conscience pour que de telles combines vous traversent l'esprit!

— Ces scélérats ont même pris la peine d'enfouir leurs «mines» à des profondeurs différentes de manière qu'elles n'explosent pas toutes en même temps, remarque Berthe. Comme des bombes à retardement. C'est du vice à l'état pur!

— C'est proprement crapuleux!

— Faut-il être minable et abominable jusqu'au trognon!

— Qui peut bien avoir machiné une pareille horreur? Sommes-nous visés personnellement?

— J'y pense, Léopold: c'est peut-être le maire et son acolyte qui essaient de t'éliminer. Ce sont des vauriens et ils ont un mobile sérieux, après tout. Et il y a aussi ce Gontran Gagnon qui semble t'en vouloir à mort.

— Qu'est-ce que tu vas chercher là? J'admets que les deux premiers sont de fieffés bandits, mais je ne crois pas qu'ils iraient jusqu'à tuer. Ils sont plutôt du genre magouilleurs. Quant à Gagnon, c'est une soupe au lait qui est incapable de faire mal à une mouche; il grimpe dans les rideaux à tout bout de champ, mais il s'inquiète toujours pour la tringle.

— Léopold a raison. Les crimes de ce genre sont presque toujours gratuits. Les détraqués qui tendent ces pièges ne cherchent qu'à faire le mal sans se soucier d'en connaître les victimes. Il serait beaucoup trop risqué pour eux de se cacher à proximité pour savourer leur forfait.

— Et puis, il faudrait admettre que le ou les auteurs savaient exactement à quel endroit nous allions nous arrêter.

— À moins qu'ils n'aient miné chacun des sites, objecte Émilie.

Léopold hésite un moment, décontenancé par la pertinence de la remarque.

— Je ne peux pas — je ne veux pas — admettre cette hypothèse. Nous ne sommes pas en guerre, après tout. Et puis, si tu avais raison, le camping où nous avons dormi la nuit passée aurait dû être piégé également. Or nous n'y avons pas connu d'ennuis.

— Et les bouteilles de cet après-midi?

— Simple oubli, voyons. Il ne faut pas se laisser envahir par une paranoïa sournoise.

— J'espère que tu as raison...

Moi je me dis in petto: «Plus que dix Bic, mon ptit Pit!» Je suis loin d'être démuni, mais il me semble qu'une sorte de fatalité s'acharne sur ma réserve de briquets.

On finit pourtant par se convaincre que tout ça n'est qu'un mélange de coïncidences malheureuses et de plaisanteries de mauvais goût. Cela vaut mieux pour le moral des troupes. Et puis cet endroit est si merveilleux qu'on oublie l'incident.

De ce côté-ci de la rivière, la berge est recouverte de sable blond à travers lequel percent des fleurs d'un mauve éclatant. De l'autre, un mur de granit plonge dans l'eau à la verticale. Un peu en amont, une petite cascade dégringole de la falaise. Le blanc de l'écume se découpe en haut contraste sur le gris presque noir de la pierre mouillée. Une fine bruine se répand autour du point d'impact et engendre un arc-en-ciel qui confère un aspect féerique au décor. Sans compter le bleu du ciel et les différentes teintes de vert de la végétation accrochée çà et là à la paroi. En mélangeant ces éléments, on obtient ce que les romanciers sans imagination appellent un paysage multicolore.

Roger remet en marche son usine à calembours:

— Ce paysage-là, je le verrais plutôt dans le calendrier des scouts de Saint-Turfléché.

Personne ne semble l'avoir entendu.

— Viens Patrick, me crie Émilie. On va aller prendre une douche.

Je vais la rejoindre au bord de la rivière.

— Le dernier qui arrive à la chute est un con!

On se jette à l'eau comme le font les nageurs lors des compétitions olympiques.

Piqué dans mon orgueil, je sors mon crawl des grandes occasions et je pousse la machine au maximum. Chaque fois que je tourne la tête pour respirer, je constate qu'Émilie se défend aussi bien que moi. Nous allons bientôt atteindre le but. Je puise dans mes dernières réserves pour le sprint final. Ça y est, ma main touche le roc.

— Eh bien, dit Émilie en relevant la tête en même temps que moi, il faut croire qu'on est aussi débiles l'un que l'autre!

Le bord de la rivière est constitué d'une sorte de tablette de granit d'une trentaine de centimètres de large. On s'y hisse et on se faufile sous la cascade, entre le mur de roc et l'eau qui tombe. L'autre côté de la rive nous apparaît par intermittence à travers ce rideau liquide. Les gestes des parents ressemblent à une série de diapositives projetées à toute vitesse. Ça saute comme un vieux film de Charlie Chaplin.

Ce que je ressens est étrange. Le fait d'être pris en sandwich entre ces deux matières si différentes — la pierre et l'eau — me bouleverse. L'une si douce qui me caresse et l'autre si dure contre laquelle je m'appuie. L'une qui adopte, sans protester, la forme qu'on lui donne, et l'autre qui se montre inflexible. Pourtant, les cuvettes creusées dans le roc au pied de la chute démontrent bien qu'avec le temps c'est toujours la douceur qui a le dernier mot. Jamais la pierre n'arrivera à user l'eau.

Émilie et moi sommes fascinés par l'ambiance, mais il est impossible d'échanger nos impressions de vive voix. En vase clos, le bruit de la chute est décuplé. Nos mains se rejoignent comme si elles avaient pris la décision d'assurer la relève de la parole. Suivant l'exemple, nos têtes se tournent et nos lèvres se soudent. Ainsi transmis, le message passe sans difficulté.

Il n'y a pas de doute, nous sommes tous les deux du côté de la douceur...

Je suis envahi par une émotion brutale. En dépit de l'eau, un feu me consume. Des larmes de bonheur me montent aux yeux. Je ne cherche pas à les retenir. Avec ce qui tombe déjà ici, elles vont passer inaperçues. Mon stupide orgueil de mâle en sera sauf...

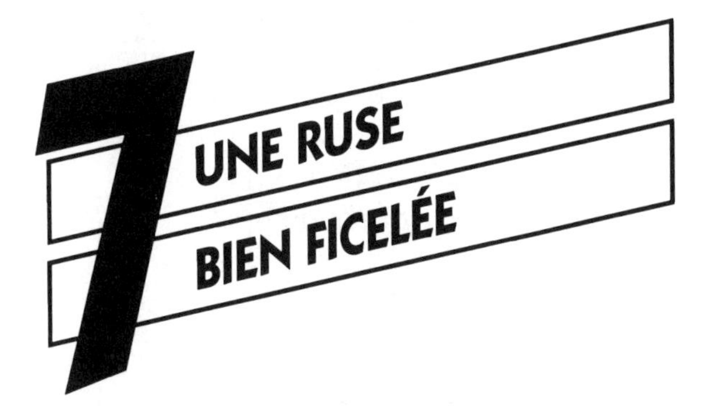

Il a encore plu pendant une grande partie de la nuit. Je me suis réveillé à plusieurs reprises. Ça tombait avec encore plus de force qu'au cours de la nuit précédente.

Si nous n'avions pas eu la bonne idée de creuser des rigoles autour des tentes, elles seraient parties à la dérive. Quinze jours plus tard, on nous aurait retrouvés, voguant quelque part du côté de la baie de Fundy.

Avec un peu de patience on aurait même pu faire une petite trempette à Old Orchard, cette célèbre station balnéaire où la redoutable pidzahaldrès pousse à l'état sauvage.

Mais il ne faut pas se plaindre; on a quand même de la chance; comme hier, la flotte cesse de tomber dès que le jour pointe. Le soleil reprend sa place et tout laisse croire qu'il sera là pour le reste de la journée.

En voyant cela, Roger ne peut s'empêcher de déclarer:

— Les cieux sont avec nous!

La rivière a encore augmenté de volume. L'eau est brouillée et charrie toutes sortes de cochonneries végétales. En montant de niveau, la Maskawatec a emporté tout ce qui s'était échoué le long de ses berges. Peut-être qu'elle procède à un petit ménage d'été. Hier si limpide, elle roule aujourd'hui un jus brunâtre et peu ragoûtant.

En dépit des apparences, ce n'est pas de la pollution. Seulement un peu d'humus arraché au sol par le ruissellement. Ces matières organiques en suspension vont se déposer au fond des planioles, là où le courant devient presque nul. D'après Léopold, tout sera rentré dans l'ordre d'ici midi. Une bonne partie de ces dépôts va même servir à nourrir les poissons de vase du genre barbotes et autres poissons-chats. Il faut bien que la mèrenature pense à tous ses enfants. Parfois, elle doit en enlever à l'un pour en donner à l'autre. On appelle ça se montrer équitable.

Comme avant chaque départ, nous tenons un conciliabule pour étudier le plan de navigation. Léopold déploie la carte sur le sable qui est déjà sec.

— Voilà, nous sommes ici et nous avions prévu que, ce soir, nous camperions là, à une dizaine de kilomètres avant la rencontre avec la rivière Noire. Nous avons déjà parcouru plus de la moitié de l'itinéraire.

— Étant donné que le courant est encore plus fort qu'hier, nous pourrions très bien sauter une étape et boucler le circuit en quatre jours au lieu de cinq, propose Roger.

— Pourquoi? Il fait beau et on s'amuse à souhait, non? Il serait dommage de ne pas profiter de la nature le plus longtemps possible. À mon sens, il faudrait plutôt étirer les réjouissances en multipliant les arrêts.

Je partage cet avis. Le canotage est plaisant, mais les escales le sont aussi. J'ai découvert hier les avantages que procurent certains phénomènes naturels. Entre autres, ils peuvent servir à s'isoler un peu des parents sans qu'il n'y paraisse.

Un vote à quatre contre un donne raison à l'option freinage. Roger se rallie à la majorité. Malgré les petits ennuis que nous avons connus, on n'est pas si pressés de retourner à la civilisation. Et puis, la civilisation, c'est parfois un endroit très dangereux. Par exemple, il s'assassine beaucoup plus de gens dans la seule ville de Montréal que dans toutes les forêts du Québec réunies!

— Eh bien, puisqu'on est d'accord, pourquoi ne pas commencer à freiner tout de suite? Je crois me souvenir qu'il y a de grosses truites mouchetées qui hantent la fosse au pied de la cascade.

— Excellente idée. On poursuivra la descente lorsqu'on aura récolté notre dîner.

On ne peut pas encore parler de cataracte, mais la chute a pris du volume elle aussi. Elle semble enveloppée dans un épais cocon blanchâtre formé par les embruns qu'elle soulève. Une bonne partie de la muraille est voilée par cette boule de bruine qui ne cesse de se régénérer.

Le soleil, encore bas sur l'horizon, frappe la falaise à la verticale et l'éclaire de cette lumière éblouissante propre aux matins de canicule. Le contraste est d'autant plus frappant que ce côté-ci de la rivière croupit encore dans l'ombre. Le roc, qui m'avait semblé hier d'un gris foncé presque uniforme, laisse apparaître, sous cet éclairage, un réseau complexe de zébrures ocrées. Mon âme de poète me persuade que la pierre fait des efforts pour se mettre en harmonie avec les reflets brunâtres de l'eau. À force de se fréquenter, ces deux substances sont peut-être devenues complices, qui sait?

— On va laisser les bagages sur la grève, on sera plus à l'aise pour pêcher, déclare Léopold.

— On ne risque pas de se les faire voler? s'inquiète Roger. On aurait l'air bougrement ridicule si quelqu'un passait et s'enfuyait avec la bouffe, par exemple.

— Refoule ta paranoïa de citadin au fond de ta tête, bien rangée dans le tiroir du bas, en dessous de tes mauvais souvenirs, juste à côté de tes peines d'amour; on n'est pas dans la rue Saint-Denis, ici.

Roger n'insiste pas, mais je sens qu'il ravale difficilement son agacement.

Nous montons dans les canots avec les attirails de pêche. Nous apportons aussi palmes, masques et tubas. L'eau n'est pas encore très claire mais si l'envie de plonger nous prenait malgré tout, nous aurions ce qu'il faut.

Vingt-cinq mètres à peine nous séparent de la cascade. Pourtant, il faut pagayer sans relâche puisque nous devons lutter contre le courant. Aussitôt arrivés à proximité, les ancres sont jetées. Les trois canots s'immobilisent parallèlement à la rive.

La surface de la rivière est remplie de souches qui dérivent, le dos rond. Certains des troncs traînent des racines qui pointent hors de l'eau comme des cornes. On dirait un régiment d'escargots géants sans coquille qui descend la rivière à reculons. Parfois l'un de ces «gastéropodes» frappe mollement le canot et glisse sur son flanc. Cela est sans conséquence, mais il ne sera pas facile de pêcher avec ces obstacles qui défilent en rang serré.

— Pourquoi on ne ferait pas les personnes-grenouilles, à la place?

En prononçant le mot «personne», Émilie me fait un clin d'œil tellement subtil que la moitié de son visage se raboudine comme une vieille fesse froissée. Je vois que son système de copies de sécurité fonctionne sans bavure; pour ne rien oublier, elle enregistre en double tout ce qu'on lui dit.

— Pas de problème. On peut y aller, le canot est bien ancré; le capitaine autorise les personnes d'équipage à quitter le bord.

La soupe est embrouillée. On n'y voit pas plus loin que le bout de son nez. Sans se consulter, on décide simultanément d'exploiter le phénomène. On plonge ensemble et, sous l'eau, on se donne la main pendant quelques secondes. C'est anodin, mais le fait de se permettre cette petite audace au nez des parents nous rapproche. C'est connu, la complicité tisse des liens (surtout chez les criminels, dirait Roger...).

C'est au cours de l'un de ces plongeons «galants» que je m'accroche les pieds dans un fil de laiton très mince. Bizarre! Il est tendu à une dizaine de centimètres sous la surface de l'eau. Je le suis. Il traverse la rivière d'une berge à l'autre. Côté camping, il est attaché autour d'une énorme pierre. Côté chute, il se dirige carrément au milieu du bouillon.

À quoi cette installation peut-elle bien servir?

Je refais surface et j'explique à Émilie ce que je viens de découvrir.

— Crois-tu qu'il s'agit d'un système installé par des braconniers pour pêcher en permanence?

— Je ne pense pas. Si la rivière était au niveau habituel de la saison, le fil serait hors de l'eau. Il n'y a pas, que je sache, de poisson volant dans ce coin-ci de la planète.

— Cela signifie que sans les pluies torrentielles des deux dernières nuits, le passage aurait été barré par ce fil à peu près à hauteur de canot. En ce cas, la conclusion est terrible: il a été installé pour nuire aux passants.

— Tout juste, Auguste! Sans doute encore des mauvais plaisants qui s'ennuient et qui souffrent de déficience du système humanitaire! Par chance, la météo a déjoué leur plan. L'eau nous a rendu service.

— Mais pourquoi en cet endroit, précisément? Le courant n'est pas très fort; au pire nous aurions chaviré.

— Rien ne prouve qu'ils n'aient pas tendu d'autres fils ailleurs. Mais ta remarque est pertinente. Pourquoi ici? Pourquoi s'être donné la peine d'aller attacher une des extrémités sous la chute? Il y a plein de lieux plus favorables et plus faciles d'accès. Au milieu d'un gros rapide, par exemple. Concentrés sur les manœuvres, on n'aurait rien vu et on aurait pu être blessés. Allons jeter un coup d'œil derrière la chute, on y trouvera peut-être une explication.

Moi, désormais, des invitations à aller jeter un coup d'œil derrière les chutes, je n'en refuserai plus jamais une. Les chutes Niagara (59 mètres), les chutes Churchill (75 mètres), celles du Zambèse (108 mètres), le Salto del angel au Venezuela (la plus haute cascade du monde; la limonade dégringole un mur de 978 mètres! Arrivées en bas, les molécules d'eau sont si confuses qu'elles ne reconnaissent plus leurs petits...); aucune chute ne m'arrêtera! Je deviendrai le plus éminent chutologue du monde, s'il le faut.

Les parents s'obstinent à essayer de pêcher au milieu des souches qui dérivent. Je leur souhaite de la chance mais, étant donné les conditions, ils risquent plus d'attraper des troncs de noyers(!) que des truites à trophée, des racines rongées que des maskinongés, des branches bien pourries que des brochets bien nourris, des bouleaux dorés que de beaux gros dorés, des sapins futés que des saumons fumés! (Ne faites pas attention, je viens de lancer le moteur de ma déconneuse!)

Nous enlevons nos palmes et nous nous glissons derrière la chute par le même chemin qu'hier. Le débit ayant augmenté, ça crachote encore plus dru et l'espace entre l'eau et le roc a diminué.

À tâtons nous examinons le pied de la muraille. Nous localisons rapidement le fil de laiton.

— Mais qu'est-ce que c'est que ce truc à la gomme!!!???

Étrange, en effet! Un piton d'alpiniste a été inséré dans une fissure à quelques centimètres sous l'eau. Le fil de laiton passe dans l'anneau, fait un coude et monte le long de la falaise. À deux mètres de haut, il est attaché à un curieux dispositif. Une large planche dressée contre la pierre, maintenue à sa base par deux pitons qui font charnières. L'autre extrémité de cette planche est retenue par une simple ficelle. Le fil de laiton est fixé à la ficelle de telle sorte qu'en tirant dessus un bon coup, l'attache va céder et la planche basculera dans le flot de la chute.

Jusque-là, rien de bien méchant. Mais ce n'est pas tout. Cette même planche est assujettie à un câble d'acier tressé gros comme mon pouce. Il grimpe sur la paroi avec un petit angle par rapport à la verticale.

Nous n'avons rien remarqué à notre première visite parce que la falaise avance en pointe et cache l'installation. Et puis, nous avions d'autres chats dans la gorge à fouetter, si je peux dire.

— Je ne sais pas ce qu'il peut y avoir à l'autre bout de ce machin, mais je sens que c'est quelque chose de pas très catholique. Une fois aidé par la force du courant, ce système est capable de déplacer des montagnes! Fichons le camp d'ici au plus sacrant!

Nous sortons vivement. Avant de me jeter à l'eau, je hurle à l'intention des parents:

— Éloignez-vous de la chute au plus vite, l'endroit est peut-être dangereux!

Nous nageons jusqu'à notre canot. Au moment où nous allons monter à bord, j'aperçois une énorme souche tout hérissée de racines qui descend le courant. Ce que je redoute se produit. Au passage, le gastéropode géant s'accroche dans le fil de laiton et enclenche le mécanisme...

Le résultat ne se fait pas attendre. Un roulement sourd fait trembler la terre; même la rivière semble frémir de frayeur. Une avalanche de cailloux, dont certains doivent peser plusieurs tonnes, dégringole de la falaise. Ça tient du cataclysme tellement c'est puissant, dantesque, apocalyptique!

Heureusement, l'éboulis a lieu un peu en aval de la chute, de sorte que nous sommes épargnés de justesse. Les vagues de choc sont tout de même assez fortes pour faire chavirer les trois canots. Les parents en sont quittes pour un bain forcé.

Mais si l'eau avait été à son niveau normal, le scénario aurait été différent lorsque nous sommes passés ici hier. L'équipage de tête aurait déclenché le piège et continué sa course, suivi des deux autres. Ainsi, les roches auraient atteint la rivière au moment où nous serions arrivés à leur point d'impact.

Il ne fait aucun doute que nous aurions été aplatis et cloués à tout jamais au fond de l'onde perfide! Les morceaux de canots qui n'auraient pas coulé avec nous auraient été emportés au loin par le courant. Personne n'aurait pu deviner l'endroit où auraient reposé nos malheureuses carcasses.

Le service que nous a rendu l'eau est encore plus grand que nous pensions; elle nous a sauvé la vie! Sans les pluies torrentielles des deux dernières nuits, nous serions déjà chez le grand chapelier céleste en train d'essayer différents modèles d'auréoles. Je me demande s'il en existe une variété avec *Walkman* intégré? Quoi qu'il en soit, j'ai peine à m'imaginer en angelot joufflu papillonnant d'un nuage à l'autre avec la grâce d'un hippopotame ailé. Pendant l'éternité, l'exercice pourrait devenir lassant.

Nous retournons sur la berge pour récupérer les bagages. Avant de déguerpir à toute vitesse de ce lieu maudit, Léopold propose qu'on tienne une réunion, histoire de faire le point.

Chacun de nous affiche une mine déconfite. La question demeure entière: sommes-nous victimes de mauvais plaisants qui agissent gratuitement ou bien sommes-nous visés par cette série de traquenards démentiels? S'il s'agit de mauvais plaisants, tout peut arriver, puisque la démence humaine ne connaît pas de bornes. Et si nous sommes visés, bien malin sera celui qui pourra dire quelle forme prendra la prochaine attaque et, surtout, de quel côté elle viendra.

Roger prend la parole, visiblement en colère:

— Il faudra bien se résoudre à admettre l'évidence! Un arbre couché en travers de la rivière à un point stratégique; nos trois canots qu'on retrouve fissurés le lendemain matin; des bouteilles abandonnées qui se transforment en loupes incendiaires à un endroit où on a décidé de s'arrêter; des cartouches enfouies sous la cendre qui nous pètent à la figure; et maintenant, ce mécanisme diabolique qui aurait pu nous écraser comme des crêpes! Non seulement on nous agresse, mais on nous agresse de plus en plus sauvagement. Qu'est-ce qu'on va devoir encore affronter avant de se rendre compte que quelqu'un cherche à nous éliminer, bordel-à-bras? Je pense qu'on devrait sauter dans nos canots et pagayer comme des fous furieux jusqu'à ce qu'on arrive en lieu sûr. On ne devrait même pas s'arrêter pour bouffer. Il faut sortir de cet enfer au plus sacrant! Nos vies sont en péril!

Lorraine rétorque:

— Nous ne pouvons pas prendre le risque de naviguer la nuit; avec les rapides que nous devrons franchir, ce serait beaucoup trop dangereux.

Léopold explose:

— Du sang-froid, que diable! Ne laissons pas la panique nous dicter notre conduite. Avec un peu d'imagination on peut finir par voir des pièges partout. L'arbre couché en travers de la rivière n'est rien d'autre qu'un phénomène naturel provoqué par l'érosion. Les fissures dans les canots, on les a faites le jour précédent en heurtant le fond de la rivière; d'ailleurs, ces incidents sont très fréquents. Pour les bouteilles, on ne peut rien conclure avec certitude. Il n'y a que les cartouches et l'éboulement de pierres qui soient de mains humaines et indubitablement criminelles.

Berthe intervient:

— Si quelqu'un cherche à nous tuer, pourquoi se donner tant de mal? Un tireur embusqué pourrait nous abattre tous les six sans courir le moindre risque de se faire prendre.

— C'est pourquoi je pense que nous avons affaire à un dangereux psychopathe, déclare Roger. Je vous répète qu'il faut sortir de cette maudite forêt dans les plus brefs délais.

Émilie met son grain de sel:

— Voilà ce que nous allons faire: puisque nous n'avons pas le choix, nous allons continuer la descente. De toute façon, il n'existe pas de moyen plus rapide pour rentrer chez nous. Seulement, ce soir nous camperons à un endroit si peu accueillant que personne n'aura l'idée d'aller nous chercher là. Ils ne peuvent pas avoir piégé chaque centimètre carré du territoire, quand même!

Je fais remarquer:

— Et s'ils nous suivent?

— Nous monterons la garde à tour de rôle pendant la nuit.

Je claque déjà des dents de panique mais lorsque j'entends ça, mes castagnettes reprennent leur concert; à force de se heurter, mes pauvres ratiches vont se déchausser, c'est certain! Je me vois très mal en train de faire le guet dans le noir absolu alors que tout le monde dort. Ma culotte risque d'être visitée par des substances suspectes...

— Émilie a raison. C'est ainsi que nous allons procéder. Nous allons parcourir un maximum de kilomètres et nous arrêter à un endroit où il est possible d'escalader la falaise sans trop de peine. Nous la gravirons et nous dresserons notre camp au sommet. Ça serait bien le restant des quatorze piastres s'il y avait un piège qui nous attendait là-haut!

— Avant de repartir, il faut enlever le câble d'acier qui a déclenché l'avalanche et le fil de laiton tendu en travers de la rivière. Le traquenard est désamorcé, mais des gens pourraient encore se blesser.

En fin d'après-midi, nous découvrons un emplacement convenable. Une sorte de citadelle qui surplombe la rivière! Une roide sente, euh... excusez-moi, un sentier pentu y monte en lacet.

Les canots sont camouflés dans un épais taillis de cèdres et les provisions de bouche suspendues à des branches. Nous faisons six paquets de tout ce dont nous aurons besoin ce soir et nous entreprenons l'ascension.

Ça grimpe bougrement. Le raidillon, accroché en corniche à flanc de falaise, est à peine assez large pour laisser passer une personne. Pas moyen de garantir son équilibre avec les mains, on est tous chargés comme des bêtes de somme. On doit ressembler à un convoi de mulets pensifs gravissant un col de la Sierra Madre sous les coups de trique d'un vieux prospecteur barbu et bourru.

Parfois, je ne peux m'empêcher de jeter un coup d'œil vers le bas. Ça me fait comme une crampe au creux du ventre. La tête me tourne. Je dois m'appuyer un moment le front contre la paroi pour reprendre mes esprits.

Après une demi-heure d'effort soutenu, nous atteignons le sommet de la falaise. La vue est étourdissante. Je fais décrire à ma tête un lent travelling-panorama. J'ai l'impression de revivre cette séquence classique des films de cow-boys montrant le héros exténué qui arrive au bord d'un précipice. Visage buriné et œil lourd. Du revers de la main, il essuie la sueur qui perle à son front, puis porte son regard fatigué sur l'immensité sauvage. On sent qu'il communique avec la nature. Pour que la ressemblance soit parfaite, il ne manque plus qu'une horde d'Indiens sanguinaires se profilant sur fond de soleil couchant de l'autre côté de la vallée. Et si, par surcroît, on pouvait entendre une soudaine envolée de musique guimauvico-symphonique, tout y serait. *The Sons-of-a- Bitch's Gang Strikes Back!* (titre de la version française: *La bande d'enfants de Cheyenne contre-attaque!*).

Nous sommes sur une crête rocheuse vaguement rectangulaire; on dirait un minaret de granit dressé au milieu d'un océan de conifères.

À part un très grand pin qui glisse ses racines dans les moindres interstices à la recherche d'humus, l'endroit est dénudé. Sur trois des côtés, les falaises sont infranchissables, sinon par des alpinistes chevronnés. Il n'existe pas d'autre chemin pour se rendre ici que le sentier que nous avons emprunté. La place est vraiment imprenable. Si quelqu'un s'approche, on va le voir venir à coup sûr. Ce piton ne présente qu'un seul inconvénient: la nature a oublié de prévoir une issue de secours, de sorte qu'on est un peu pris dans un cul-de-sac.

En bas, la Maskawatec lézarde la forêt à la manière d'une blessure bleue, blanche et brune déchirant la peau d'un monstre vert. Au loin, on peut apercevoir la courte trouée de la rivière Noire qui vient la rejoindre. Plus loin encore, sur la droite, je devine la masse sombre du lac Noir, la source de la rivière du même nom. Je n'en vois qu'une partie, le reste se perd dans la brume. L'épaisseur de l'air dégrade les couleurs et rend toutes choses lactescentes. Le ciel se marie avec les eaux dans un flou artistique. On dirait que la voûte céleste, au lieu de s'incurver derrière l'horizon, se recourbe plutôt sur elle-même à la manière d'une gigantesque coulée de crème fouettée qui glisserait onctueusement dans le lac.

Je m'empare des jumelles et je scrute les environs. À la décharge du lac Noir, j'aperçois une tache grise que je n'arrive pas à identifier. Je me renseigne auprès de Léopold.

— C'est un vieux barrage qui servait à régulariser le cours de la rivière lorsqu'on y faisait le flottage du bois.

— Est-il encore en usage?

— Non. Il a été désaffecté au milieu des années soixante. On l'a laissé à l'abandon, écluses ouvertes. Le gouvernement avait ordonné à la compagnie de le détruire, mais celle-ci a fait faillite au même moment. À Québec, les fonctionnaires des Terres et Forêts ont fini par oublier l'affaire. Dans le temps, il y avait une cabane en bois ronds où logeait le gardien et une écurie pour son cheval. Je suis passé par là il y a une dizaine d'années; les bâtiments et le barrage étaient encore en excellent état. J'ai l'impression qu'il ne doit pas en rester grand-chose aujourd'hui. Avec les motoneiges et les VTT, il y a tellement de voyous qui circulent en forêt que ça ne m'étonnerait pas que tout ait été saccagé.

Ici, à cause de la hauteur, l'air est plus frais et il vente sans arrêt. La nuit va être froide. Dieu merci, nous avons apporté des vêtements chauds.

Ce n'est pas la joie parmi les troupes. Chacun fait son possible pour ne rien laisser transparaître, mais il est évident que l'inquiétude nous ronge les entrailles. L'installation du bivouac se fait dans un silence tendu. Idem pour le souper. C'est tout juste si on ouvre la trappe pour se distribuer les tours de garde.

— En cette saison, la noirceur dure environ huit heures et demie. Roger va veiller jusqu'à deux heures; je prendrai sa place pour le reste de la nuit...

— Pas question! explose Berthe. Il est important que chacun de nous ait sa portion de sommeil. Il faut tous demeurer alertes; on ne sait pas de quoi demain sera fait... À six, ça ne fera toujours qu'une heure et quart de garde chacun.

Les «hommes» discutaillent un brin, mais ils finissent par se soumettre. On tire au sort. Je serai de faction entre trois heures et demie et cinq heures moins le quart du matin. Au pire moment de la nuit. Pendant ces heures-là, les prédateurs nocturnes mettent les bouchées doubles avant que ne pointent les premières lueurs de l'aube. C'est leur dernière chance de se remplir la panse s'ils ne veulent pas crever la dalle jusqu'à la nuit suivante. Je remplacerai Émilie et Lorraine viendra me relever.

Après la vaisselle, je commence à réunir ce qu'il faut pour allumer un feu. Roger s'y oppose catégoriquement. Cette fois, Léopold lui donne raison.

— Si quelqu'un nous suit, la fumée va trahir notre présence. Quand la nuit va tomber, ça va être encore pire. Étant donné la hauteur, les flammes seront visibles à plusieurs kilomètres à la ronde.

Merde! Moi qui comptais là-dessus pour me rassurer pendant mon tour de garde. J'ai entendu dire que les ours ont une peur bleue de la moindre étincelle. Je ne pourrai jamais survivre dans la nuit noire. Surtout que la lune est absente et que le ciel a commencé à se couvrir de gros nuages gris. Ça va être la bouteille d'encre. Je vais craquer, c'est sûr! Il faut que je trouve un truc pour me redonner confiance.

L'épisode des cartouches dans le feu de camp me revient à l'esprit. Je revois mon briquet qui explose sous l'impact d'une balle. Ça me donne une idée. Il me reste encore dix de ces bidules. Discrètement, j'en prélève trois parmi ceux que j'ai aux cuisses. À l'aide d'un morceau de guenille bien sèche, je les attache autour d'un bout de branche qui servira de poignée. Cela fait, j'imbibe le tissu d'huile à salade.

Je dépose l'engin dans un *baggie* étanche que je glisse dans mon sac kangourou. Si une bête malfaisante s'approche pour m'importuner, je serai en mesure de lui montrer de quel bois je me chauffe.

À huit heures, le temps devient sombre et menaçant. Il fait déjà presque nuit noire tellement le ciel est couvert. On entend des roulements de tonnerre dans le lointain.

— Il va y avoir encore des orages, dit Léopold. Je n'aime pas ça du tout. À cette hauteur et avec cet unique pin au bord de la falaise, nous constituons une cible de choix pour la foudre. Elle peut nous tomber dessus à tous moments.

— Il faut installer un paratonnerre avant que l'orage ne débute, déclare Roger. Nous n'avons pas une minute à perdre.

— Comment? Je ne vois pas de quincaillerie dans le coin.

— Il suffit d'utiliser le fil de laiton et le câble d'acier qu'on a retirés de la rivière ce matin.

Roger enfonce un bout du câble d'acier dans le peu de terre qui se trouve au pied de l'arbre. Nous empilons ensuite un tas de cailloux par-dessus pour s'assurer qu'il va rester en place. Pendant ce temps, mon père attache le fil de laiton à l'autre extrémité.

— Tu es le plus agile, me dit-il. Attache ce fil à ta ceinture et grimpe le plus haut possible. Une fois au sommet, tu tireras le câble vers toi et tu l'attacheras solidement au tronc avec le laiton. Tu t'arrangeras pour que celui-ci pointe vers le haut, au-delà des branches. Dépêche-toi! L'orage sera ici dans moins de quinze minutes!

Il m'envoie carrément à l'échafaud, celui-là! Et je ne peux pas refuser, je vais passer pour un poltron. Je sais très bien que j'en suis un, mais je tiens mordicus à être le seul à le savoir.

Roger me fait la courte échelle et me voilà en train de jouer à l'écureuil. Le tonnerre roule de plus en plus fort. J'oublie mon vertige et je monte à toute vitesse. Plus je m'approche du sommet, plus le tronc s'amincit et plus le vent le secoue. Les branches rapetissent elles aussi et sont maintenant plantées dru. Ma progression ralentit. J'ai peine à me retenir, tellement ça brasse. Le fracas du ciel ne cesse d'augmenter. Ça y est, je ne peux pas grimper plus haut; si je continue, la tête de l'arbre va se briser sous mon poids.

À califourchon sur une branche, j'enroule mes jambes autour du tronc et je serre de toutes mes forces. Mes mains libérées, je tire sur le fil. Plus le câble s'élève, plus il devient lourd. Le voilà, enfin. Je l'enroule autour d'une branche et je fais un nœud grossier. Je consolide l'installation à l'aide du fil de laiton. Je réserve les trois ou quatre derniers mètres que j'entortille de manière à obtenir une couette assez rigide qui pointe vers le ciel.

Je redescends en catastrophe. La pluie commence à tomber. La foudre pète sec. Ça sent l'ozone; il y a de l'électricité dans l'air. J'évite soigneusement de toucher au câble d'acier. Avec la quantité de butane que je transporte, je pourrais me transformer en une véritable bombe vivante. L'écorce mouillée est glissante.

Parvenu à mi-chemin, je suis ébloui par une lueur fulgurante, suivie d'un bruit infernal. Le choc est si violent que je lâche prise...

Pendant que je tombe, une pensée me traverse l'esprit:

Treize ans, c'est un peu jeune pour avaler son certificat de naissance, non?...

Je ressens d'abord une forte secousse dans tout le corps, doublée d'une très vive douleur dans la région des chevilles. Lorsque la lampe écran de mon cerveau se rallume pour de vrai, je découvre que je suis suspendu dans les airs par les deux pieds.

Ça y est, je suis mort et le ciel n'est rien d'autre qu'une sorte de monde à l'envers!

Après un moment, mes puces personnelles recommencent à fonctionner et je me rends compte que j'ai fait une chute d'à peine deux mètres. Par miracle, mes pieds se sont accrochés au passage à deux branches formant un V resserré.

J'ai toujours trouvé ma démarche à la Charlie Chaplin un peu ridicule, mais sans cette habitude de pointer les orteils vers l'extérieur, je serais allé me fracasser la tête contre le roc. Mon crâne se serait brisé comme un œuf qu'on cogne contre le rebord d'une poêle de fonte. Finir en omelette baveuse ne me dit rien qui vaille!

Je rétablis mon équilibre et je continue à descendre. Je touche le sol devant cinq visages dévastés par l'inquiétude. On me regarde comme un miraculé. Lorraine m'empoigne dans ses bras et éclate en larmes. Entre deux sanglots, elle parvient à dire:

— Tu nous as sauvé la vie en risquant la tienne. Sans ton paratonnerre, nous serions tous morts. Grâce à lui, la foudre s'est perdue dans la terre.

Je ne sais pas si je me fais des idées, mais il me semble que cette démonstration de tendresse agace Roger. Je suis de plus en plus persuadé qu'il est jaloux.

— Regarde, poursuit Émilie, la décharge a été tellement violente que le tas de cailloux est tout roussi. Tu as eu beaucoup de chance!

— Ah, mon pauvre chéri, on ne pourra jamais assez te remercier!

Je suis encore hyperexcité. J'ai frôlé la mort et cela a provoqué une puissante montée d'adrénaline qui agit comme une drogue stimulante. Encore un peu et je me croirais invulnérable. Je suis Hercule, Titan et Superman réunis dans le même petit ado agité!

Mais l'effet ne dure guère. Tout d'un coup, la tension tombe. Je me sens las, épuisé, vidé; le compteur de ma réserve d'énergie marque moins vingt. Je suis mou comme de la guenille. J'ai autant de consistance qu'une baudruche dégonflée. Je ne tiens plus sur mes jambes. Je me traîne avec peine jusqu'à mon sac de couchage. Je perds conscience avec une telle rapidité que je ne sombre pas dans le sommeil; je pique plutôt du nez dans un épais coma.

Chimères, hydres et dragons hideux ne manquent pas de peupler mes rêves. Pour fuir leurs attaques, je traverse des ponts qui se rétrécissent au fur et à mesure que j'avance. Des précipices sans fond m'aspirent. Je fais des chutes interminables.

Lorsque Émilie vient me réveiller pour que je la remplace, je suis tout en sueur.

— Enfile ton imper, Albert; il pleut des cordes, me souffle-t-elle.

Ça fait un boucan du diable sur le toit de la tente. Je me lève à contrecœur et je m'habille. À côté, Lorraine et Roger ronflent comme des engins. Ah! si j'étais encore un bébé, je pourrais rester couché sans aucun remords. Qu'est-ce qui m'a pris de vouloir vieillir? C'est vrai, à la fin; quel intérêt y a-t-il à devenir adulte? Si j'avais su que je devrais vivre des moments aussi pénibles, je ne me serais jamais laissé convaincre d'abandonner le biberon... ni la couche non plus, du reste. Les deux plus grandes erreurs de ma vie, sans aucun doute!

Je m'extrais de la tente avec difficulté. Je suis perclus de courbatures. La gymnastique arboricole d'hier m'aura un peu trop étiré la carcasse. J'ai dû grandir d'au moins trois centimètres en l'espace d'un instant. Veux, veux pas, on dirait que les forces de la nature se liguent avec le destin pour faire de moi un homme. Au moral comme au physique!

Ma lampe de poche est impuissante à percer les ténèbres. Les rayons se réfléchissent sur les gouttes de pluie et se dispersent. On dirait que l'air est rempli de milliers de petits vers luisants qui grouillent en tous sens.

J'ai l'impression de m'enfoncer dans un cadavre en décomposition avancée.

— Tout a été tranquille jusqu'ici. Bon courage! Je vais me pieuter, je tombe de sommeil.

Lorsque Émilie se couche et éteint sa lampe de poche, un cauchemar d'apocalypse éclate avec fracas dans mes pensées. Me voilà vraiment seul. Mon imagination morbide aidant, les crépitements de la pluie, les rafales de vent et les grincements des arbres s'assemblent et se transforment en hurlements de bêtes féroces. Je devine des centaines de monstres répugnants, tapis dans l'ombre, attendant l'occasion propice pour fondre sur moi et me dépecer avant de se disputer mes restes sanguinolents.

Des éclairs déchirent la nuit et illuminent le ciel l'espace d'un instant. La cime du grand pin s'allume parfois comme une lampe à incandescence d'au moins un milliard de watts. La tension est telle que le câble d'acier en rougit de tout son long. Des morceaux de branches prennent feu çà et là, mais la pluie torrentielle stoppe tout de suite l'incendie. L'ensemble fait penser à un gigantesque arbre de Noël dressé au milieu d'un monde catastrophé!

Pendant ces fugaces moments de clarté, il me semble voir bouger des ombres suspectes et luire des milliers de paires d'yeux menaçants. Les coups de tonnerre se succèdent et ébranlent le sol. Je m'enfonce dans la trouille absolue. Je suis au bord de la crise de nerfs... Je vais craquer...

J'entre dans un état second. Des hallucinations d'un épouvantable réalisme me visitent. Le gugusse qui les réalise doit se faire assister par un ordinateur et un logiciel vachement puissants. C'est le Spielberg du délire onirique qui tient la caméra.

Des reptiles gluants rampent vers moi. Des oiseaux squelettiques m'effleurent les cheveux de leurs ailes membraneuses. Des cadavres s'approchent en ricanant de ce rire éternellement figé qu'affichent les têtes de mort. Des tourbillons d'air chargés de soufre et d'odeurs de viande brûlée cherchent à m'emporter dans un ciel où se déchaînent les éléments.

Désemparé, j'avance dans un champ où broutent des centaines de charognes pestilentielles. Des chevaux éventrés grouillant de vermines poussent d'effroyables hennissements. Des vaches en putréfaction persistent à rester debout, même si des rats couverts de pustules ont élu domicile dans leurs orbites évidées. Des matières verdâtres striées de filets jaunes et rouges dégoulinent de ces trous frangés de pus. Des vautours plongent leurs têtes déplumées dans ces viandes en déliquescence. De furieux va-et-vient les font s'enfoncer toujours plus profondément. Les carcasses, secouées par les coups de butoir, tremblotent comme du flan. On dirait la Mort qui s'accouple avec elle-même pour se perpétuer. Après un moment, ces têtes monstrueusement chauves et plissées se redressent, souillées de sang et de pourriture. Des vers se tortillent pour échapper à leurs becs crochus qui ne cessent de claquer. Des lambeaux de viscères putrescents y pendouillent; des rictus écœurants s'y dessinent. L'horreur totale!

Une série de convulsions me nouent les entrailles. Les spasmes s'amplifient en remontant vers ma bouche. Les contractions sont si puissantes que je crains de dégueuler toute ma tripaille.

Mais juste avant que mes intestins fumants ne se déversent sur mes pieds, je sens quelque chose qui s'abat sur mon épaule. C'est plus fort que moi, je laisse échapper un hurlement de terreur...

— Chut... tu vas réveiller tout le monde, murmure une voix.

Je reconnais les douces inflexions de ma mère. Mais qu'est-ce qu'elle vient faire dans mon délire, celle-là? J'essaie de lui crier «va-t'en, c'est dangereux, mon esprit est en train de muer et tout peut arriver»: Peine perdue, je suis incapable d'articuler le moindre son.

Elle me secoue encore pour me ramener à moi.

— Réveille-toi! Je viens prendre ta place.

Je sors enfin des vapes. Je n'arrive pas à y croire; je me suis assoupi. La peur est devenue intolérable et mon cerveau a trouvé ce moyen pour se débrancher de la réalité. Il se sera dit qu'il valait mieux pour moi de cauchemarder à fond la caisse que de risquer de devenir fou comme un balai.

Je suis bien réveillé, mais des restes de queues de serpents, de crocs de crocodiles et de griffes de bêtes fauves me trottent encore dans la tête. En dépit de ces vestiges fantasmagoriques, je me sens beaucoup mieux. Je suis allé jusqu'au bout de mes terreurs et on dirait que cela m'a nettoyé la caboche des nombreuses bébittes qui la ravageaient. Je me suis soumis à une cure de trouillothérapie, en somme.

Quelque chose en moi a changé. J'ai l'intime conviction d'avoir franchi une autre étape dans le douloureux chemin qui mène de l'enfance à la maturité. Je ne suis pas vraiment pressé d'arriver à destination, mais il faudra bien que je me résigne; il ne semble pas possible de faire marche arrière ni même de ralentir cette course folle vers... Vers quoi, au juste?

Je décide de tenir compagnie à Lorraine pendant un moment. Le noir de la nuit se métamorphose progressivement en bleu. Il ne pleut presque plus et le vent est tombé. Bénéficierons-nous encore d'une belle journée? Je le souhaite de tout mon cœur; les ennuis sont beaucoup plus faciles à supporter lorsqu'il fait beau.

— Retourne te coucher; il faut que tu te reposes encore, la route va être longue.

— Je veux voir le soleil se lever. Regarde, la voûte céleste s'éclaircit; il va bientôt poindre.

Elle se tourne vers moi en me regardant avec de grands yeux surpris.

— Qu'est-ce qui t'arrive, toi? On dirait que ta voix n'est plus la même...

— Un refroidissement, sans doute. L'air est tellement humide...

Un sourire incrédule retrousse le coin de ses lèvres.

— Je pense que ce n'est pas la seule explication.

Elle passe un bras autour de mes épaules et m'attire contre sa poitrine. Je m'abandonne à l'étreinte, mais je sens monter un début d'agacement, sinon de réticence. C'est comme si je me rendais soudainement compte que ma mère est une femme! Et que mon père est son amant… Je ne serais pas un peu jaloux, moi aussi? Il ne manquait plus que ça! Décidément, cette nuit de cauchemar m'en aura fait voir de toutes les couleurs.

Tendrement enlacés, nous guettons l'arrivée de l'aurore.

Une faible lueur orange semi-circulaire naît à l'horizon et se superpose peu à peu au bleu ultramarin du ciel. Les nuages s'écartent de cette zone comme s'ils avaient reçu un ordre catégorique.

Et puis, tout à coup, un premier rayon fend l'air et vient se vriller au fond de mes rétines. Après quelques clignements des yeux, j'aperçois la «tête» de l'astre impérial qui s'élève au-dessus de la ligne des arbres et qui se reflète dans les eaux du lac Noir. Depuis déjà cinq milliards d'années qu'il est fidèle à ce rendez-vous quotidien avec l'aube. Mille huit cent vingt-cinq milliards de fois que le miracle se répète. Et pourtant, rien ne nous assure qu'il se répétera demain…

Instantanément, la nature tout entière semble reprendre vie. Un frisson de vent parcourt la forêt, comme si elle s'ébrouait pour se débarrasser de la pluie qui écrase sa pilosité.

Notre grand pin participe au rituel en laissant échapper une longue plainte d'animal blessé. Sa cime a été déchiquetée par la foudre pendant la nuit. Plusieurs de ses branches sont calcinées. Sous le câble d'acier, une brûlure profonde balafre son écorce, du faîte jusqu'au pied. On dirait un géant décapité qui persiste à rester debout en dépit de ses blessures. Bien qu'il soit sans doute mortellement atteint, il mettra encore plusieurs dizaines d'années avant de s'abattre et de se laisser rouler en bas de la montagne.

Je m'approche avec l'intention de le remercier d'avoir sacrifié sa vie afin de sauver les nôtres. Mais je reste figé sur place, frappé de stupeur. Au pied de l'arbre, gît un gros paquet de viande à moitié brûlée. Cette «chose» informe recouverte de poils noirs fume encore…

Seraient-ce les feux du ciel qui ont attaqué et vaincu le démon de la forêt…?

Cette fois le hurlement que je pousse est si aigu et si intense que je tire tout le monde des sacs de couchage.

Lorraine, qui est déjà dehors, arrive la première à mes côtés.

— Mon Dieu! c'est un pauvre ourson qui a été frappé par la foudre. Il a dû flairer la nourriture que nous avons accrochée dans les branches et il a essayé de grimper pour s'en emparer. Une forte décharge d'électricité l'a réduit en charpie.

Les relents de viande brûlée de mon cauchemar étaient donc réels. Peut-être que je n'ai pas rêvé, au fond... Peut-être que j'ai été transporté dans une réalité parallèle...

Les nombreuses brûlures confirment l'hypothèse de Lorraine; il y a effectivement eu électrocution. Pourtant, en dépit de l'évidence, cette explication ne me satisfait qu'à moitié. Il me semble qu'il manque un élément dans la mise en scène. Quelque chose me chicote, mais je serais bien en peine de dire quoi. Du bout du pied, j'essaie de retourner l'amas de bidoche tout écorchée pour voir si je ne découvrirais pas un indice.

À peine reculotté, Léopold accourt en vitesse.

— N'y touche surtout pas, Patrick!

— ???

— Tu vas lui communiquer ton odeur.

— Ça m'étonnerait que je sente assez fort des pieds pour incommoder cette bête dans l'état où elle se trouve.

— Ce n'est pas pour la santé de l'ourson que je me fais du souci, mais plutôt pour la tienne — et la nôtre! Il faut se débarrasser de ce cadavre au plus sacrant. Prends un bâton et aide-moi; on va le pousser en bas de la falaise.

— Pourquoi est-ce si urgent?

— Sa mère doit le chercher partout. Quand on les laisse tranquilles, les ours n'attaquent jamais l'homme — même qu'ils le craignent comme la peste. Mais lorsqu'on s'en prend à l'un de ses petits, une mère ourse perd toute prudence et devient extrêmement dangereuse. Si elle découvre son ourson ici en pièces détachées, elle va établir un lien entre sa mort et notre présence. Aucun d'entre nous ne s'en tirera vivant. Ces bêtes sont d'une force phénoménale. J'en ai déjà vu une tuer un gros chevreuil et je vous assure que les choses n'ont pas traîné! Dressée sur ses pattes de derrière, elle l'a d'abord assommé d'une simple taloche, puis l'a attrapé à la base de la nuque avec sa gueule avant même qu'il ne touche le sol. Une fois sa prise bien assurée, elle a donné un violent coup de tête à gauche, puis à droite. Je me tenais à au moins cinquante pieds de la scène et j'ai entendu le bruit de la colonne vertébrale qui se brisait. Chacun de nous connaîtrait le même sort. Il serait inutile de songer à fuir: ces plantigrades sont capables de pousser des pointes de cinquante-cinq kilomètres à l'heure. Et, en plus, ils grimpent aux arbres comme des chats.

C'est alors que le déclic se fait. Je découvre soudainement ce qui me chicotait tantôt.

— Cet ourson était déjà mort lorsqu'il a été électrocuté.

— Qu'est-ce qui te permet de faire une pareille affirmation? Te prends-tu pour Sherlock Holmes? raille Roger.

— Quelqu'un l'a déposé ici pendant la nuit afin de mettre sa mère en furie contre nous.

— Comment peux-tu en être sûr?

— Regarde: bien que la pauvre bête ait été mise en morceaux, elle n'a presque pas saigné. C'est la preuve qu'elle avait déjà perdu son sang avant d'être frappée par la foudre.

Le paternel encaisse en rougissant.

— Et cela prouve autre chose: on nous a bel et bien suivis.

Après avoir aidé Léopold à repousser l'ourson mort en bas de la falaise du côté opposé à la rivière, je lave soigneusement mes bottes de pluie. Je ne ménage pas le savon. Je n'ai pas envie qu'une ourse enragée me piste au pif à travers la forêt.

— Nous avons intérêt à ne pas traîner ici. La mère ne peut pas être bien loin.

Avec les jumelles, je jette un coup d'œil dans les environs. J'aperçois une masse noire au pied de la falaise. J'augmente le grossissement au max. C'est bien la mère.

Elle est accompagnée de deux oursons. Elle vient de découvrir la dépouille de son petit. Elle le retourne en tous sens du bout des naseaux. Lorsqu'elle se rend compte qu'il est mort, elle étire le cou en rejetant la tête vers l'arrière et laisse échapper un long grognement plaintif. C'est comme si elle protestait contre la fatalité qui lui a ravi son enfant. On dirait même qu'elle proteste auprès de «quelqu'un» de précis. C'est tellement pitoyable que j'ai peine à retenir un sanglot.

— Regardez, elle est en bas!

Léopold m'arrache les jumelles des mains.

— Elle hume en tous sens. Elle cherche le meurtrier de son rejeton. Ça y est, son nez pointe dans notre direction; elle nous a reniflés. Sa myopie l'empêche de nous voir, mais je suis sûr que l'«image olfactive» qu'elle se fait lui permet de nous situer avec exactitude.

— Elle ne pourra jamais grimper jusqu'ici par ce côté-là.

— Non, mais elle va contourner le piton rocheux et découvrir le sentier par où nous sommes venus. Nous n'avons pas une minute à perdre! Sa colère doit être terrible. Si elle arrive au sentier avant nous, elle va nous couper la retraite. Elle n'aura qu'à le remonter et nous cueillir un à un. Déguerpissons au plus vite!

Nous n'avons jamais décampé aussi rapidement. Sans un mot, nous dégringolons la falaise. Les canots sont extraits de leur cachette. Nous y jetons les bagages pêle-mêle sans prendre soin de les arrimer. Les provisions de bouche suspendues aux branches sont abandonnées sur place. On verra à les récupérer plus tard... si possible.

Nous entendons l'ourse qui s'approche. Ses grognements furibonds glacent le sang. Il est clair qu'elle nous a flairés et qu'elle s'est mise en chasse.

La voilà qui déboule au détour du sentier. En nous apercevant, elle se dresse sur ses pattes de derrière et sa gueule béante pousse un hurlement terrible. Debout comme ça, elle doit faire dans les deux mètres. De la bave dégouline de ses crocs. Ses petits yeux brillent d'une rage meurtrière. Elle relève le nez et tourne lentement la tête de droite à gauche, puis de gauche à droite en reniflant bruyamment. On dirait qu'elle nous hume un à un.

Après quelques va-et-vient, son regard se fixe sur moi et ne me quitte plus. Un grognement caverneux lui monte de la poitrine et explose dans sa gueule. Elle donne de furieux coups de dents dans le vide. Il ne subsiste plus aucun doute: le besoin de tuer l'habite; il faut qu'elle assouvisse sa vengeance. Et elle m'a choisi comme entrée en matière.

— Vite! elle va charger!

La bête se laisse retomber sur ses quatre pattes et se ramasse pour foncer. C'est au moins deux cents kilos de muscles d'acier qui fondent sur *moi*.

Dans un éclair, je comprends pourquoi c'est à moi qu'elle en veut. J'ai commis l'erreur de me faire un bâton de pèlerin avec celui que j'ai utilisé pour pousser le cadavre de son petit en bas de la falaise. Son odorat m'a désigné comme coupable. Je suis sérieusement en danger de mort.

Peut-être qu'en me sacrifiant, les autres auront la vie sauve...

Le débit de la rivière a encore augmenté. Pour atteindre la zone navigable, il faut transporter les embarcations à travers un épais taillis de branches recouvert d'eau. Nous n'aurons jamais le temps d'y arriver.

Ma peur prend des proportions telles que je ne sais plus ce que je fais. J'agis comme un automate; c'est l'immense désir de survivre qui prend les commandes. Une sorte de détermination que je ne me connaissais pas explose en moi. Tout d'un coup, j'ai les idées qui deviennent froides. C'est le vieil instinct de chasseur de mes ancêtres qui traverse les siècles et vient me donner courage. C'est comme si, par-delà le temps, l'atavisme se réveillait.

À nous deux ma vieille! C'est à moi que tu en veux; eh bien, c'est de moi que tu en auras! Tu vas peut-être avoir ma peau, mais je vais te la vendre chèrement!

Je laisse Émilie se débattre toute seule avec le canot et je fais face à la bête qui s'approche à toute vitesse. J'ai pourtant l'impression que la scène se déroule au ralenti. C'est comme si mes yeux décomposaient le mouvement pour me donner le temps d'analyser la situation.

Roger hurle:

— Qu'est-ce que tu branles, Patrick? Dépêche-toi, tu vas te faire dévorer tout rond. Tu n'as pas affaire à un nounours à la Walt Disney.

Au lieu d'obéir, je sors mon *baggie* de mon sac kangourou et j'en extrais l'engin de guerre que je me suis bricolé hier soir. Je l'empoigne par le manche et je mets le feu à la guenille enduite d'huile.

La flamme se propage timidement. Je souffle dessus pour accélérer les choses. Je me dépêche tant que je peux, mais il me semble que mes gestes sont d'une lenteur désespérante. Comme dans ce rêve classique, lorsque vous êtes poursuivi et que vos pieds deviennent de plus en plus lourds. Pourtant, je ne panique pas; je ressens même une sorte de jouissance.

La bête n'est plus qu'à une dizaine de mètres de moi. Je la laisse encore s'approcher. J'espère que le plastique des briquets ne va pas fondre trop rapidement…

Émilie et les parents continuent à patauger dans l'eau en me suppliant de venir les rejoindre. Je ne tiens pas compte de leurs exhortations. De toute façon, il est trop tard, maintenant. Je dois affronter mon destin. Et c'est en solitaire que je dois le faire! C'est une histoire personnelle entre la bête et moi. Non, je me trompe; c'est plutôt une affaire cosmique entre l'humanité et l'animalité! La matière grise contre la force brutale! Me sentant investi d'une mission, je ne doute plus de vaincre.

Lorsque l'ourse arrive à quatre ou cinq mètres de moi, je lance ma «grenade» dans sa direction. L'objet tombe tout près d'elle. En voyant le feu, elle stoppe net et se jette de côté. Cette petite flamme n'est pas suffisante, toutefois, pour lui faire abandonner son projet de me croquer vif. Après un moment d'hésitation, elle bifurque vers sa droite afin de contourner l'obstacle. Sûre de m'avoir à sa merci, elle gronde de plus en plus fort. Sa gueule écume de bave visqueuse. Je commence à trouver le temps long.

Je me précipite vers la droite, moi aussi, de manière que l'engin reste entre elle et moi. La bête me suit. Nous faisons trois tours complets. Elle gagne du terrain. Je peux sentir son haleine fétide, tellement elle est proche.

Juste avant qu'elle ne m'attrape par le fond de culotte, je puise dans mes dernières réserves et je plonge tête première en me laissant rouler comme une boule. Derrière moi la bête grogne déjà de triomphe; elle est persuadée que son petit déjeuner est servi.

Mais à l'instant où ses crocs vont s'enfoncer dans ma chair, les flammes traversent enfin le plastique des briquets et ma bombe explose dans un fracas d'enfer. Le souffle est si puissant que je suis soulevé de terre et projeté violemment contre un arbre.

Ébranlé, je me relève et je me tâte. Rien de cassé. Je m'en tire avec des bleus et des poils roussis.

La mère ourse a eu moins de chance. Placée entre la bombe et moi, c'est elle qui a encaissé le plus gros du choc. Son pelage a pris feu. Elle se tortille sur le sol en hurlant de douleur. Heureusement pour sa santé, les hautes herbes chargées de pluie éteignent l'incendie. Mais elle a très bien compris le message. Elle se remet sur pied et s'enfuit en boitant sans demander son reste. Voilà une bête qui vient de découvrir un autre motif de se méfier des humains.

Je suis si excité qu'un cri de triomphe se gonfle dans ma poitrine. Mais cette poussée tarzanesque reste en plan. Émilie se jette sur moi et, sans se soucier de la présence des parents, me saisit la tête à deux mains et m'embrasse à pleine bouche. Je n'ai pas une très grande expérience de cette sorte d'exercice, mais un baiser plus fougueux que celui-là ne serait pas un baiser; ce serait plutôt quelque chose comme un détartrage ou un traitement de canal! Pour parler franchement, je commence à craindre pour mes amygdales.

Quoi qu'il en soit, non seulement je deviendrai un éminent chutologue, mais je compte bien me documenter sur les techniques de chasse à l'ours. Ces deux professions semblent comporter des avantages sociaux qui sont loin d'être négligeables...

Évidemment, les «hommes» sont intrigués par le gadget qui m'a permis de mettre l'ourse en fuite. Je leur explique l'affaire. Roger n'en revient pas. Humble comme d'habitude, il n'hésite pas à comparer mon sens pratique au sien. Mes mauvais coups, il les attribue plutôt à l'hérédité maternelle. Je m'abstiens de lui apprendre qu'il me reste encore plusieurs briquets: il pourrait me les confisquer.

Encore une fois, je suis traité comme un héros. On me fait des compliments qui mettent ma modestie à rude épreuve. S'ils savaient, les pauvres... Je n'ai aucun mérite; c'est simplement une peur cosmique qui m'a poussé à affronter la bête. J'ai l'impression d'avoir agi sous influence... C'est le génie de l'espèce qui s'est manifesté à travers moi.

Le danger est écarté. Nous prenons le temps de récupérer les provisions de bouche et d'arrimer les bagages. Avant de reprendre la route, Léopold nous donne ses instructions.

— Dans approximativement une demiheure, nous arriverons à la jonction de la Maskawatec et de la rivière Noire. Étant donné que le niveau des deux cours d'eau est très élevé, la manœuvre risque d'être délicate. Il faudra faire attention aux remous et aux contre-courants créés par la rencontre des deux confluents. La Noire arrive perpendiculairement, ses eaux sombres font un coude serré, mais ne se mélangent pas immédiatement aux eaux plus claires de la Maskawatec. Pendant une centaine de mètres, on dirait qu'il y a deux rivières qui coulent côte à côte. On pourrait croire qu'elles se mesurent pour savoir laquelle absorbera l'autre. Le mieux est de serrer à gauche et de se laisser glisser en douceur vers le centre, comme lorsqu'on entre sur une autoroute en voiture. On devra s'arrêter tout de suite après; il y a un rapide qu'on ne pourra pas sauter sans risque dans les conditions actuelles. Enfin, si tout va bien, demain midi au plus tard nous serons à la maison.

«Allons-y!»

Avant de partir, je fais le décompte de mes briquets. Il m'en reste encore sept. Un dans ma poche, un dans le sac kangourou qui ne quitte jamais ma taille, un dans ma ceinture de flottaison, un fixé à ma canne à pêche et trois à ma cuisse droite. Je récupère ces trois derniers et je me confectionne une autre bombe. Qui sait? Au train où vont les choses, je ne serais pas étonné de rencontrer un tyrannosaure en chair et en os (en nous avalant, il deviendrait plutôt en chair et en noce, dirait Roger). Je prends même la précaution de me préparer deux bandes de guenilles bien imbibées d'huile à salade pour le cas où je devrais me fabriquer un autre engin en catastrophe.

La rivière, qui déborde très haut dans les branches, gronde comme une bête féroce. Je ne sais pas si c'est mon affrontement avec l'ourse qui me suggère cette impression, mais je sens de la rage mal contenue dans le roulement des flots. L'eau, qui nous a été si bénéfique jusqu'ici, chercherait-elle à rétablir la moyenne?

En plus des affleurements rocheux à éviter, il faut composer avec les débris de toutes sortes arrachés aux berges par la crue. Dans ces conditions, le moindre rapide présente des difficultés décuplées.

Les nuages ont repris le dessus sur le soleil. Il ne pleut pas, mais le ciel est très sombre et le vent, dans les arbres, siffle des complaintes sinistres. À vrai dire, il fait un temps de fin du monde.

Ça descend à vive allure. La sensation pourrait être agréable si ce n'était de l'inquiétude qui nous ronge et gâche tout notre plaisir. Je ne sais pas qui a dit que «les malheurs n'arrivent jamais seuls», mais le proverbe se révèle criant de vérité dans le cas présent. Et s'il est également vrai qu'«un malheur en attire un autre», je me demande bien ce qui va pouvoir encore nous arriver de fâcheux d'ici demain midi. Le ciel va-t-il nous tomber sur la tête?

Dans quatre ou cinq minutes, nous arriverons au point de rencontre des deux rivières. Je refoule les sombres pensées qui me trottent dans la tête et je me concentre au maximum pour me préparer à affronter l'épreuve.

Les canots des parents se suivent de près à une dizaine de mètres devant nous. Ils s'engagent dans un petit rapide. En tentant de contourner une grosse souche qui vient de s'immobiliser au milieu du courant, Roger fait une fausse manœuvre et percute l'autre embarcation. Les deux se renversent.

Nous les évitons de justesse. Nous essayons de ralentir pour leur donner le temps de remonter à bord et de nous rejoindre. Il ne serait pas sage de nous séparer. Mais, en dépit de nos efforts, le courant nous entraîne peu à peu.

— Laisse tomber, déclare Émilie. Il vaut mieux reprendre de la vitesse, autrement notre canot ne sera pas facile à diriger dans les remous. De toute façon, les vieux sont presque rembarqués et nous devons nous arrêter tout de suite après avoir dépassé la rivière Noire. Il ne nous reste même pas trois cents mètres à franchir.

Il me semble que, tout d'un coup, le bruit des eaux se multiplie par dix, par cent, par mille. La rivière Noire ne peut pas, à elle seule, engendrer un pareil tumulte…

Au même moment, des volées d'oiseaux piaillants passent à tire d'ailes en rasant la cime des arbres. On dirait qu'ils fuient quelque désastre naturel. Ils se hâtent tous en direction du couchant.

Nous arrivons à la jonction. À l'avant, Émilie aperçoit le confluent avant moi et laisse échapper:

— Ah ben, ça alors!

Trois secondes après elle, je découvre que le lit de la rivière Noire est presque à sec. Un mince filet d'eau se fraye un chemin au milieu d'un champ de roches blanchies. Cette entaille lunaire dans la végétation luxuriante offre un spectacle des plus lugubres.

— Qu'est-ce qui a bien pu se passer? Et d'où provient ce formidable bruit de cataracte que nous entendons puisque la rivière est asséchée?

La formulation même de cette question me suggère une réponse, mais je souhaite de tout mon cœur qu'elle soit fausse...

Je rêve, c'est sûr; ça ne peut pas être vrai!

— Le vieux barrage! Les écluses ont été fermées pour une raison que j'ignore et voilà qu'elles viennent de céder sous la pression des pluies diluviennes des trois dernières nuits. Nous sommes perdus!

— Ce barrage ne peut pas s'être fermé de lui-même! Ce sont encore les bandits!...

Je me retourne pour voir ce que fabriquent les parents. Ils ont atteint la berge; ils s'apprêtent à rembarquer. Je leur crie de rebrousser chemin mais, avec ce bruit d'enfer, ma voix ne porte pas. J'espère qu'ils vont deviner qu'il se passe des choses graves dans le secteur.

Nous n'avons pas le temps de tenter quoi que ce soit. Le grondement sourd prend des proportions cauchemardesques. Les arbres de la forêt en sont agités comme si une poigne de géant les secouait par les racines.

Dix secondes plus tard, nous apercevons un mur liquide de cinq mètres de haut qui déferle dans le lit encaissé de la rivière Noire. L'épouvante nous envahit. Cette montagne d'écume rugissante arrache tout sur son passage. Des millions de litres d'eau chargés de roches et de troncs d'arbres vont se jeter sauvagement sur nous dans quelques instants.

Il n'y a rien d'autre à faire que d'attendre la mort en la regardant droit dans ses yeux d'ombre... J'ai bien peur, en effet, que la plaisanterie ne se termine ici! Une cartomancienne m'a déjà prédit que je mourrais dans un lit; elle n'avait pas tout à fait tort: elle avait simplement oublié de préciser que ce serait dans celui de la rivière Maskawatec!

Nous poussons un hurlement de terreur si puissant qu'il arrive à couvrir le tumulte des eaux déchaînées. Cette clameur doit ressembler à celle qui éclate dans un avion lorsque le pilote annonce aux passagers que son appareil va bientôt percuter le mont Blanc. La certitude que la mort va frapper a quelque chose de sordide. C'est chacune des cellules qui refuse de se soumettre à l'inévitable. C'est tout l'être qui crie sa détresse à l'idée de disparaître à jamais. Non! non! et non!

L'attaque de ce véritable raz-de-marée est foudroyante. La première vague en forme d'oreille de charrue se glisse sous le canot et le retourne brutalement plusieurs fois. La deuxième le projette très haut dans les airs.

Bien accroché au plat-bord, les pieds coincés sous la barre transversale, je suis entraîné dans cette chasse-galerie démentielle. Je vois passer des morceaux d'arbres et d'énormes pierres que le bouillon charrie en tous sens. Il me semble apercevoir Émilie qui vole, son aviron encore à la main. Lorsque notre canot replonge enfin, un énorme madrier bardé de lourdes ferrures s'abat sur lui. Je passe à un poil de me faire couper les jambes. La fibre de verre éclate et l'embarcation s'en trouve cassée net par le milieu. Sous le choc, je suis catapulté je ne sais où. Je repique du nez dans l'écume en furie.

J'essaie en vain de refaire surface. Les eaux sont tellement bouillonnantes qu'elles n'offrent plus aucune «portance»; ma veste de sauvetage n'arrive pas à me maintenir à flot. Je tourbillonne dans une substance à mi-chemin entre l'état gazeux et l'état liquide. Le bruit est étourdissant. Des objets durs me frappent et me meurtrissent. Parfois, je heurte violemment le fond de la rivière.

Je vais bientôt manquer d'oxygène. Ma cage thoracique va éclater. Je ne suis plus qu'une boule de douleur ballottée par des courants contraires. Je perds tout espoir de m'en tirer. Comment, du reste, pourrais-je lutter contre un pareil cataclysme? Noé lui-même n'en mènerait par l'arche...

Pourtant, je m'accroche. Mon instinct de conservation ne se laisse pas bâillonner. Le Principe d'Émilie me revient à la mémoire: *Survivre une autre minute, une autre seconde, puis recommencer tout de suite après.* À chaque instant suffit sa peine!

Facile à dire, mais il faut quand même que je respire de temps en temps? Je n'y peux rien, c'est une mauvaise habitude que j'ai contractée au moment de ma naissance. Jamais, par la suite, je n'ai réussi à m'en débarrasser... Et je ne compte aucun mammifère marin dans mon arbre généalogique.

Je déploie des efforts désespérés pour émerger du bouillon. Je suis tellement tourné et retourné que je ne sais plus dans quelle direction se trouvent le haut et le bas. Je m'agrippe à un gros tronc d'arbre en espérant qu'il va bientôt remonter.

Le besoin de respirer devient irrépressible. Mes maxillaires vont se desserrer et, d'un seul spasme, je vais boire la grande tasse. Ce jus va me calmer pour le reste de l'éternité. Je n'aurai plus jamais mal ni peur.

À quoi bon résister plus longtemps, alors? À quoi bon prolonger mes souffrances? De toute façon, ne suis-je pas déjà à moitié mort? Cette petite lumière que j'ai dans la tête est encore allumée, mais elle commence à vaciller dangereusement. Une voix chatoyante me dit «Vas-y, souffle la chandelle, tu n'as rien à perdre!», tandis qu'une autre m'exhorte à tenir le coup au nom de la beauté de l'existence.

Les arguments contradictoires pleuvent de part et d'autre. Le printemps, les fleurs, l'amour peuvent-ils compenser pour la maladie, la peine et la mort qui, de toute façon, est inévitable. Ce dialogue intérieur prend l'allure d'un procès: le procès de la vie! Mais plus l'air me manque, moins l'avocat de la défense se fait convaincant. Le verdict va bientôt tomber, implacable…

Au moment où je vais m'abandonner au néant, le hasard des tourbillonnements me fait émerger le bout du nez pendant un bref instant. Par réflexe, j'aspire à pleins poumons. Je replonge aussitôt cul par-dessus tête. La danse folle des eaux ne faiblit pas.

Je continue d'être bousculé pendant un temps impossible à évaluer. Je suis continuellement au bord de l'étouffement. Le débat entre l'instinct de survie et l'instinct de mort reprend à chaque fois que je réussis à m'approprier quelques molécules d'oxygène. L'un fait valoir les belles années que j'ai devant moi. L'autre m'explique que l'éternité moins treize ans c'est la même chose que l'éternité moins cent ans, ou même que l'éternité moins dix mille… cent mille ans! Une fois mort, c'est comme si tu n'avais jamais vécu.

C'est le destin qui tranche la question. Une vague de fond plus forte que les autres me soulève et me projette vers le haut avec une rare violence. Au passage, quelque chose de rigide s'insinue entre ma veste de flottaison et ma peau. Une douleur cuisante me brûle les flancs. L'impulsion de l'eau est tellement puissante que ma veste se déchire; des lambeaux sont entraînés par le courant. Je heurte un obstacle et, aussitôt, je perds le son et l'image…

La conscience me revient lentement. J'ai l'impression de me déplacer dans un tunnel noir au bout duquel scintille une faible lueur. Je ne saurais dire, cependant, si je me dirige vers la lumière ou si je m'en éloigne.

Les ténèbres finissent par se dissiper. Mais ce n'est pas encore la grande illumination cérébrale — de beaucoup s'en faut. Je suis tellement ébranlé que je suis obligé de faire d'immenses efforts de volonté pour me rappeler mon nom. Mes souvenirs sont si brumeux que j'ai l'impression d'avoir la mémoire hors foyer. Il y a sûrement des transistors qui ont pris l'humidité. Où suis-je, d'où viens-je et qu'est-ce que je fabrique ici?

Je découvre que je suis prisonnier d'un fouillis de branches. Je dois ressembler à une mouche géante prise dans une toile d'araignée. Ces branches appartiennent à un gros arbre dont une bonne partie du tronc baigne dans une rivière tumultueuse. L'eau écume furieusement à moins d'un mètre sous moi.

Mais comment suis-je arrivé dans cet arbre? Impossible de dire également pendant combien de temps j'ai été inconscient. En tout cas, j'ai eu la chance de ne pas basculer dans la flotte pendant mon coma; je me serais noyé à coup sûr.

Je ne peux pas descendre de ce perchoir, le courant est beaucoup trop fort. Les flots m'emporteraient et je serais déchiqueté comme si je passais dans un robot-culinaire.

Je suis meurtri comme une vieille pêche. Il n'y a pas un seul centimètre cube de ma viande qui ne souffre atrocement. Au moral, ce n'est guère mieux: de grands corbeaux d'angoisse font un chahut de tous les diables dans ma tête. La détresse m'habite. Je grelotte autant de froid que d'effroi. C'est comme si j'avais été sculpté dans un bloc de tourments. Chacun de mes neurones subit les pires tortures. Je suis affligé d'une sorte de furieux mal de dents mental.

Peu à peu ma mémoire reconstitue le drame. Cette montagne d'eau qui déferle sur moi... Le barrage... La rivière Noire... Une vague qui me projette dans les airs... Un choc épouvantable... Le trou noir consécutif...

Par un hasard inouï, le courant m'aura catapulté dans cet arbre et j'y suis resté accroché. C'est à peine croyable, mais je n'entrevois pas d'autre explication. Je suis même prêt à admettre que c'est Téthys, la Mère des Eaux, qui m'a sauvé la vie.

Il s'écoule encore un bon moment avant que je me rappelle que je n'étais pas seul dans cette effroyable aventure. Cette découverte achève de me foudroyer. Émilie? Mon Dieu, mais où est-elle donc? Les parents? Ont-ils, oui ou non, été entraînés dans le maelström des eaux déchaînées?

Je me mets à appeler à l'aide comme un dément. Nulle réponse ne me parvient. Je scrute vainement les alentours. Je ne vois rien qui bouge. Pas même un morceau de canot. Rien ne me permet de conclure qu'il y a eu d'autres survivants. Se pourrait-il qu'ils aient tous péri? C'est trop affreux, je n'ose pas y croire.

Je recommence à hurler de plus belle. Tout à coup j'y pense et je me tais aussi sec. J'ai intérêt à me montrer discret. Malgré le bruit de l'eau, je pourrais attirer l'attention des bandits qui s'acharnent sur nous; ils sont peut-être encore dans les parages. Il vaut mieux que ces crapules nous croient tous noyés. Ils ont fait la preuve qu'ils étaient capables de commettre les pires atrocités.

Le soleil perce à travers les nuages. D'après sa hauteur, il doit être environ six heures du soir. Ça veut dire que j'ai passé presque dix heures dans les pommes, juché dans cet arbre qui n'a pourtant rien d'un pommier. Ça veut dire aussi que si les parents avaient évité la catastrophe, ils auraient eu le temps de me retrouver. Donc... Non, c'est trop terrible!

Le niveau de la rivière baisse peu à peu. Une heure plus tard, l'eau s'est presque complètement retirée et je peux reprendre pied sur le sol.

Qu'est-ce que je vais devenir? J'ai tout perdu. Ma chemise est en lambeaux et une de mes bottes a été arrachée dans la tourmente. Je n'ai plus que ma culotte et mon sac kangourou. Je fais le décompte de ce que je possède: ma bombe, heureusement encore au sec; deux briquets «en vrac»; une bonbonne d'antimoustiques en aérosol; un canif à cran d'arrêt; trois hameçons; un rouleau de ligne à pêche et du fil de laiton.

Je tourne en rond pendant un bon moment en me demandant quoi faire. Rester sur place et attendre que mes compagnons me retrouvent? Partir moi-même à leur recherche? Si Émilie et les parents sont encore de ce monde, ou bien ils sont trop blessés pour se déplacer, ou bien ils ont abordé la rive loin d'ici et ils n'ont pas encore réussi à me rejoindre. Y arriveront-ils jamais? Je suis désemparé à l'extrême.

Je tente de me raisonner:

Réjouis-toi d'être encore vivant et prends-toi en main, bon sang!

Peine perdue, je ne peux m'empêcher de sombrer dans le plus sombre des désespoirs. Plutôt que d'organiser ma survie pendant qu'il fait encore jour, j'erre dans la forêt en gémissant comme un animal malade. L'idée d'allumer un feu m'effleure mais le courage me manque. Je crois que je n'ai plus toute ma raison. Je perds peu à peu le contact avec la réalité. La noirceur commence à tomber sans que je ne m'en aperçoive vraiment. C'est tout juste si j'ai encore le réflexe de rester à proximité de la rivière pour ne pas m'égarer.

Je suis incapable d'accepter la disparition définitive d'Émilie et des parents.

Pourquoi le sort s'acharne-t-il ainsi sur moi? J'ai toujours cru que ces malheurs n'arrivaient qu'aux autres. J'aurais peut-être été mieux avisé de me laisser emporter par les flots. Même si je sors d'ici avec tous mes morceaux, qu'est-ce que je vais fabriquer tout seul dans la vie?

Terrassé par la douleur et la consternation, je m'assois sur une bûche, dos contre un arbre, et j'entre dans une sorte de léthargie. J'attends que la grande Faucheuse passe me cueillir. La vie fuit de moi comme l'air d'un ballon crevé. Le glaive de la détresse m'a transpercé le cœur et j'ai cessé d'être étanche...

○

Ce sont des hurlements lointains qui me tirent du sommeil un peu avant le lever du jour. On dirait des bêtes qui se parlent d'une montagne à l'autre.

Je suis couché en chien de fusil dans un tas de feuilles mortes. J'ai dû m'endormir et rouler en bas de la bûche sur laquelle je m'étais assis. Je suis transi de froid et ma carcasse endolorie éprouve de la peine à bouger.

En dépit des douleurs, je ressens une faim de loup. Ce n'est pas étonnant, je n'ai rien avalé depuis deux jours. Ce besoin de manger prouve au moins que j'ai repris un certain goût à la vie. Si les exigences de mon tube digestif arrivent à faire taire ma détresse morale, c'est que j'ai terrassé quelques-unes de mes terreurs.

Lorsque le jour commence à poindre, je constate que mon problème de bouffe va être facile à résoudre... pour aujourd'hui et demain, en tout cas. En se retirant, l'eau a laissé des dizaines de truites prisonnières dans les branches. J'en fait la cueillette et je m'empresse d'allumer un feu.

Une fois sustenté, je ramasse plusieurs autres poissons. Je les vide et les lave avant de les enfouir sous un épais tapis de cette mousse verte qui couvre le sol des secteurs humides de la forêt. De cette façon, mes provisions vont se conserver plus longtemps qu'à l'air libre.

Le fait de m'activer me ravigote. C'est loin d'être l'euphorie, mais les pensées morbides d'hier ont été refoulées. Au fond, lorsqu'on a choisi d'agir, c'est qu'on a aussi choisi de vivre.

Les hurlements se font de nouveau entendre. Ils semblent provenir des quatre coins de l'horizon et se succéder selon une séquence régulière. Ça commence par des jappements saccadés qui se modulent ensuite en chant plaintif avant de finir par des cris chevrotants qui ressemblent à du rap diffusé par un *ghetto blaster* mal syntonisé. Probablement des coyotes qui s'interpellent. J'ai la forte impression qu'il s'agit d'un signal du chef pour rassembler la meute...

Pour parer à toute éventualité, je me taille un bâton long et rigide. À une des extrémités, je pratique une encoche de même longueur et de même profondeur que le manche de mon canif. Je l'y couche et l'y attache avec du fil de laiton enroulé bien serré. Ainsi, la lame ne pourra ni dévier ni glisser dans un sens ou dans l'autre. Je me suis fabriqué là une arme capable de faire beaucoup de ravages.

Je me sens renaître. Un goût de lutter, nouveau chez moi, m'anime. Je pense que ma course effrénée vers la maturité s'accélère. Je viens d'enclencher la cinquième vitesse. Il suffit maintenant d'ouvrir l'œil pour éviter les collisions avec le destin. Il faut aussi se méfier du décor; dans ma situation, les virages en épingle à cheveux ne manquent pas.

Je marque l'endroit où se trouve mon garde-manger afin de pouvoir le retrouver facilement. Rien ne ressemble plus à un coin de forêt qu'un autre coin de forêt. Cette précaution prise, je longe la rivière en remontant le courant. Si les parents ont évité le déluge, c'est dans cette région qu'ils se trouvent. Et puis, il vaut mieux d'abord explorer la section la plus courte. La crue n'a pas pu me transporter très loin. Un demi kilomètre, au maximum, de la rivière Noire.

La forêt est enchevêtrée et je progresse difficilement. Surtout que je vais pieds nus, désormais. Les aboiements sont de plus en plus clairs et semblent se rapprocher les uns des autres. Il est probable que la meute referme le cercle autour d'une proie. Le point de convergence se précise: au bord de la rivière, quelque part en avant. Ou bien les coyotes viennent vers moi, ou bien c'est moi qui vais vers eux. Dans un cas comme dans l'autre, nous allons fatalement nous rencontrer.

Je ne crois pas si bien dire. Cinq minutes plus tard, j'aperçois, à ma droite, un magnifique coyote gris marron qui se fond dans le paysage. Puis un autre à ma gauche. Ils ressemblent à des bergers allemands. Ils avancent en ne faisant aucun bruit. Ils me surveillent du coin de l'œil, mais passent outre sans s'intéresser davantage à moi. Ils sentent peut-être que je suis armé.

Ils maintiennent leur cap. Ces bêtes savent où elles vont, cela ne fait aucun doute.

À intervalles réguliers, un hurlement retentit. Elles y répondent par quelques jappements. À chaque fois, on dirait qu'elles réajustent leur course, comme si elles obéissaient à un plan d'ensemble. J'ai l'impression qu'elles mettent en commun de l'information olfactive qui leur permet de localiser leur proie. Elles font de la géométrie au pifomètre!

Je décide de les suivre. Je me dis que les coyotes ont dégoté un animal affaibli; ils se mettent à plusieurs pour l'achever. C'est toujours ainsi qu'ils procèdent, d'après ce que j'ai lu dans une revue de chasse et pêche. Étant donné le nombre de bêtes impliquées, il s'agit d'une assez grosse pièce. Un chevreuil, peut-être.

Voilà une réserve de protéines qui pourrait m'être utile.

J'ignore pendant combien de temps je serai contraint de vivre en forêt; aussi il faut que j'assure ma subsistance à moyen terme. Les voisins de Léopold et Berthe savaient que nous devions revenir d'expédition cet après-midi. Ça va leur prendre au moins deux autres jours avant qu'ils ne s'inquiètent assez pour songer à entreprendre des recherches. Bien sûr, je pourrais essayer de rentrer à pied en suivant la rivière. Mais c'est une trotte d'une cinquantaine de kilomètres; sans chaussures et sans ravitaillement, l'aventure serait très risquée. Et puis, il est hors de question que je sorte du bois avant d'avoir retrouvé Émilie et les parents — qu'ils soient morts ou vifs. Qui sait? Ils sont peut-être en train d'agoniser comme des chiens, tout seuls dans leur coin. Et personne ne peut leur porter secours plus rapidement que moi. Il faut donc que je reste dans la région et que j'en explore les moindres replis.

Mais il faudra aussi que je mange. Mon plan est simple. Je vais laisser les coyotes accomplir la sale besogne qu'ils viennent d'entreprendre; ensuite je vais les disperser avec ma bombe Bic et m'emparer de leur butin. Je n'aurai qu'à fumer la viande au-dessus d'un feu de bois humide afin qu'elle ne pourrisse pas trop vite. Avec les poissons de la rivière et peut-être un chevreuil, je peux tenir le coup jusqu'au premier froid. Avec la peau du chevreuil, je pourrai même me confectionner une chaude pelisse. Puis je construirai une cabane...

Holà! Arrête ces délirantes robinsonnades; tu n'évolues pas dans une bande dessinée; ta vie est réellement en danger!

Les deux bêtes que je talonne vont bientôt établir la jonction avec le reste de la meute. J'en aperçois d'ailleurs une dizaine qui encerclent un gros caillou, l'air intéressé. Il y a quelque chose de comestible derrière ce morceau de granit; les coyotes, que je sache, ne sont pas «minéralophages».

Je prépare ma bombe et je continue d'avancer en déviant vers la droite. Avant d'attaquer les prédateurs, je veux savoir si l'objet de leur convoitise peut m'être utile. Je ne vais pas risquer ma vie pour une vieille corneille rongée par les vers.

Ils s'approchent de leur proie en grondant, crocs relevés. S'ils ne se précipitent pas sur elle, c'est qu'ils sont sûrs qu'elle ne leur échappera pas. J'en déduis qu'elle est vraiment mal en point.

Je fais un autre pas et ce que je découvre me glace de stupeur. Émilie gît par terre, couchée sur le ventre comme un pantin désarticulé. Elle ne bouge pas; une de ses jambes est recouverte de sang... C'est cette odeur qui aura attiré les coyotes.

Je ne peux pas songer à les disperser avec ma bombe, je risque de tuer Émilie... si toutefois elle vit encore. Il faut pourtant que j'agisse, les bêtes ne sont plus qu'à deux mètres d'elle. Le chef va bientôt ordonner l'assaut.

Je remets ma bombe dans mon sac kangourou, j'empoigne ma pique et je fonce dans le tas en hurlant comme un fou. Je vise le plus gros coyote qui doit être le mâle dominant de la meute. Au lieu de fuir, il me fait face en jappant des ordres à ses congénères qui se rangent aussitôt en ordre de bataille.

Je me sens dans le même état que lorsque la mère ourse m'a chargé, il y a deux jours. Une détermination implacable m'envahit et me dicte ma conduite. L'ado froussard que j'étais se transforme en chasseur intrépide débarqué tout droit de l'époque de la personne des cavernes. On dirait que le temps s'arrête. La personne primitive en moi s'est réveillée pour se porter à la défense de sa «famille».

Je stoppe en tenant ma pique la pointe vers le bas. La bête enragée me fixe en retroussant les babines, puis se ramasse sur elle-même et bondit, les crocs orientés vers ma gorge. S'ils l'atteignent, je suis perdu. Elle va m'arracher les deux jugulaires d'un seul coup de gueule.

Mais je n'ai pas dit mon dernier mot. Lorsque ses pattes ne touchent plus terre, je relève mon arme et j'en appuie le manche sur le sol tout en me penchant. Ne pouvant plus freiner son élan, le coyote vient s'embrocher de lui-même avec tellement de fougue que tout le bâton lui passe à travers le corps qui s'en trouve décousu de la poitrine jusqu'à la queue. C'est un cadavre pissant son sang et perdant ses tripes qui s'abat sur moi. Je tombe à la renverse. Les viscères fumants de la bête me coulent sur le ventre.

Je repousse ce tas de boyaux malodorants, je me remets sur pied et j'arrache ma pique d'un coup sec. Une rage froide m'habite. Je plonge et replonge encore ma lame dans les entrailles de la bête qui continue de palpiter bien qu'elle soit déjà morte. La puanteur écœurante qui me colle à la peau me fait tourner la tête. Je suis entré dans une sorte de transe meurtrière. Je ne savais pas que j'étais capable de faire preuve d'autant de violence.

Sans doute effarouchés par les ondes d'agressivité que je dégage, les autres coyotes se tiennent à distance respectueuse. Lorsque je m'approche d'eux, ils reculent; lorsque je me dirige vers Émilie, ils resserrent le cercle sur nous. Ils sont impressionnés mais ils ne sont pas disposés à lâcher le morceau. Et je ne peux pas les «bombe-Bicquer», ils sont trop dispersés.

Il me vient une idée. J'empoigne le cadavre de leur chef par une patte, je le traîne un peu plus loin et je reviens vers Émilie. Aussitôt, la bande se jette sur l'aubaine. À défaut d'humain, on mange le patron pour se faire la dent.

Mais ce n'est que partie remise. Aussi, je profite du fait qu'ils sont rassemblés autour du casse-croûte pour leur donner une leçon. J'allume la guenille qui entoure les trois briquets. J'attends au dernier moment et je lance la bombe au milieu de la meute. Elle explose en touchant le sol. Quatre bêtes sont tuées sur le coup. Les autres s'enfuient en hurlant.

Je souhaite de tout cœur qu'elles aient compris le message, car je n'ai plus que deux briquets...

La tension tombe. Je suis souillé de merde d'un bout à l'autre. Je me jette dans la rivière en dégueulant.

Une fois lavé, je me précipite vers Émilie. Impossible de la retourner sur le dos, elle a une jambe coincée sous une grosse pierre. Je plaque mon oreille sur une de ses omoplates. Son cœur bat encore mais elle respire avec un sifflement suspect. Son visage est tout bleu. Elle manque sûrement d'air. Je lui tourne la tête au maximum et lui pratique un bouche à bouche si vigoureux qu'il pourrait réanimer la momie de Toutânkhamon.

Ce supplément d'oxygène la fait tressaillir. Elle se met aussitôt à tousser à se défoncer les poumons tout en vomissant de l'eau. Cinq minutes plus tard, elle retrouve son souffle et demande d'une voix faible:

— Où suis-je?

— Ne t'en fais plus, je suis là maintenant.

— J'ai horriblement mal à la jambe et j'ai la poitrine en feu. Tire-moi de là, je t'en supplie.

— Il va falloir que tu m'aides un peu.

Je lui donne de petits cailloux. À l'aide d'un morceau de bois, je soulève la pierre. En grimaçant de douleur, elle glisse les cales en dessous. Bientôt, elle est libérée. Une entaille profonde lui barre la jambe un peu en haut des chevilles. Elle a eu de la chance, elle aurait pu se la faire couper net. Mais il est clair que le tibia a été fracturé.

Je l'allonge sur le dos et je nettoie sa plaie tant bien que mal. Sa jambe est violacée et très enflée. Elle devra voir un médecin sans tarder, autrement... En attendant, il faut réduire la fracture. À froid. Sans la prévenir, je lui saisis le pied et je tire d'un coup sec. Elle pousse un hurlement à fendre l'âme. Elle est pâle comme la mort. Le grincement que j'ai entendu indique que les deux bouts d'os ont repris leur place, l'un en face de l'autre.

Avec le dos et les cordons de sa veste de flottaison et des bouts de branches, je lui confectionne une éclisse rudimentaire.

— Ça ne vaut pas un plâtre, mais avec des béquilles tu pourras marcher.

Sa voix a encore faibli. Malgré tout, son sens de l'humour reste vif.

— Je suppose que tu vas aller m'en louer une paire au CLSC du coin.

— Laisse-moi faire.

Je dégote ce qu'il faut: deux coudriers assez gros avec une fourche solide et large. Émilie se met debout sur sa jambe valide et je prends les mesures. Je coupe le tronc à la bonne hauteur en prenant soin de laisser un bout de branche au milieu qui servira de poignée. Elle essaie mon bricolage. Les deux fourches s'adaptent assez bien aux aisselles. Je les rembourre avec ce qui reste de la veste de flottaison.

— Ce n'est pas le grand confort, mais il faudra bien que je m'en contente.

Elle se rassoit et je lui raconte mon aventure. Elle a vécu à peu près la même chose que moi; elle a simplement eu moins de chance. Elle n'en sait pas davantage à propos des parents.

— On va remonter vers la rivière Noire; peut-être que là on trouvera des indices.

— Avant, il faut que tu manges.

— Je voudrais bien, mais il est trop tôt; le McDo fait encore dodo.

— T'occupes pas!

Ici aussi il y a des truites qui se sont échouées. Je lui mitonne un repas qu'elle avale gloutonnement.

— Bon, allons-y!

La surprise m'empêche d'acquiescer. Je dois blêmir.

— Ma parole, on dirait que tu viens de voir le diable.

— Regarde, dis-je en indiquant la rivière de l'index.

Deux canots retournés descendent le courant à toute vitesse... et ce sont ceux des parents!...

Les embarcations semblent intactes mais on ne pourra pas les récupérer.

— Comment est-ce possible? Pourquoi auraient-ils laissé aller leurs canots à la dérive?

— Peut-être qu'ils n'ont pas pu éviter la débâcle.

— Si tel était cas, les canots n'auraient pas attendu vingt-quatre heures avant de descendre?

— Les bandits, alors?

— J'en ai bien peur. Reste à savoir quel sort on leur a fait subir. Il faut remonter jusqu'à la rivière Noire.

Avant de partir, j'assemble mes deux derniers briquets autour d'une branche avec un ruban de guenille huilé. Il ne faudrait pas croire que je me prends pour Rambo; je suis seulement soucieux d'assurer notre sécurité.

La marche à travers la forêt est extrêmement pénible pour Émilie. Il me faudrait une machette pour ouvrir un chemin dans les broussailles. Après deux heures, la pauvre n'en peut plus; elle s'effondre.

— Continue sans moi, tu reviendras me chercher lorsque tu auras retrouvé les parents.

— Pas question! Les coyotes peuvent rappliquer à tout moment. Je vais te porter sur mon dos s'il le faut.

Évidemment, je rêve. J'en serais incapable. Il faut pourtant que je trouve un moyen de transport. C'est à ce moment que j'aperçois une sorte de panneau de bois qui s'est échoué dans les branches. On dirait une vieille porte que la rivière a charriée jusqu'ici. Ça me donne une idée. Je traîne l'objet jusqu'à la rive. Avec du fil de laiton, j'attache une branche à l'une des extrémités.

— Allonge-toi sur le panneau, je vais te remorquer. Dans l'eau ça va être plus facile.

Émilie prend place sur ce radeau improvisé et, une heure plus tard, nous arrivons à la rivière Noire. Les deux cours d'eau se sont un peu calmés mais ça bouillonne encore.

Toutes sortes d'objets ont été repoussés sur les berges, mais je ne découvre rien qui aurait pu appartenir aux parents.

Nous remontons la rivière Noire sur une centaine de mètres. À cette hauteur il y a un planiole qui nous permettra de traverser de l'autre côté. Je m'installe à l'arrière du radeau et je fais le hors-bord. La croisière ne dure que quelques minutes.

J'attache le radeau et je me rends à pied jusqu'à l'endroit où les parents ont dessalé il y a deux jours. Je ne trouve rien, pas même un bout d'aviron. Ils ne peuvent pourtant pas s'être évaporés!

Je reviens vers Émilie. Elle s'est endormie d'épuisement. Elle est pâle comme la mort. Je la touche: elle est brûlante de fièvre. Il faudrait que je l'installe dans un endroit plus confortable et plus sûr en attendant d'obtenir de l'aide.

Cette cabane qui servait à loger le gardien du barrage...

Les bandits y sont passés mais je dois m'y rendre quand même. Ou bien ils ont déguerpi aussitôt leur forfait accompli, ou bien ils sont encore là. Dans le premier cas, j'y laisse

Émilie et je descends la Maskawatec en radeau pour revenir avec du secours. Dans le deuxième cas, je me débrouille pour leur «emprunter» en douce un véhicule afin de transporter Émilie à l'hôpital au plus vite. Il faut donc que je remonte la rivière Noire jusqu'à sa source. À tout prix! Puisque les parents sont introuvables, il n'y a rien d'autre à faire.

D'après ce que j'ai pu estimer à la longue-vue à partir du piton rocheux où nous avons campé, pas plus d'un kilomètre nous sépare du lac Noir. En route!

Un seul kilomètre, mais il faut voir de quoi il s'agit. Ce n'est qu'à la fin de la journée que j'arrive en vue du barrage. Huit heures à patauger pieds nus dans d'interminables chapelets de rapides. Je ne sais plus combien de fois j'ai glissé et me suis affalé sur des rochers aux arêtes coupantes. Je ne suis plus qu'une plaie vivante. Ma culotte est en lambeaux. Je ne tiens plus sur mes jambes. Seule la volonté farouche de sauver Émilie me pousse encore à avancer.

Elle ne s'est pas réveillée une seule fois. C'est tout juste si elle a marmonné quelques phrases informes. Je pense qu'elle ne dort pas; elle est plutôt inconsciente. Je commence à redouter de la perdre. Si je ne trouve pas d'aide, je vais bientôt remorquer un cadavre. Je prie Jéhovah, Vishnu, Krishna, Thétys, Boudha, Zeus, Allah, Kronos, Mithria, le Grand Manitou, tous les dieux que je connais, de venir à ma rescousse. J'ai fait ce que j'ai pu et même un peu plus. Que le ciel fasse son bout, maintenant.

Par prudence, je tire le radeau dans la forêt et je franchis les derniers mètres en me cachant sous les branches. Je vais aller reconnaître les lieux et je reviendrai chercher Émilie aussitôt que possible.

Me voilà arrivé au pied du barrage. Tout laisse croire que l'endroit est désert. Les écluses sont ouvertes et l'eau rugissante y dégringole en cascade. L'ouvrage a été construit dans une forte dénivellation, de sorte que cela forme une chute de trois ou quatre mètres.

Le sort s'acharne sur nous: la cabane et l'écurie semblent encore en bon état, mais elles sont situées de l'autre côté. Même si le barrage sert de pont à un sentier de VTT, je ne peux pas l'emprunter; il ne serait pas prudent de m'avancer à découvert. Et impossible de traverser à la nage. Je ne me résous pas non plus à revenir sur mes pas; je n'en aurais pas la force. Que faire, alors?

Mais passe sous la chute, voyons! N'as-tu pas l'ambition de devenir le plus éminent chutologue du monde?

Je m'approche et je constate que le corps principal du barrage repose sur une fondation plus large qui forme un palier. Je me glisse sous le rideau d'eau. Le bruit est infernal. J'avance prudemment. J'ai refermé la lame de mon canif et je me sers de ma pique comme d'une canne. Le béton est couvert de limon. Si je glisse, les remous vont me repousser vers le fond et je ne pourrai jamais m'en sortir.

J'arrive de l'autre côté sans encombre. Une tige de fer tordue prise dans la masse du barrage me permet de me hisser sur le contrefort de la rive.

Couché à plat ventre, j'inspecte les lieux. Rien ne bouge autour de la cabane et de l'écurie. Je me risque d'abord jusqu'à la cabane. Il n'y a personne à l'intérieur. J'entre. Au centre de l'unique pièce, il y a une petite «truie» en fonte. Je soulève le rond qui recouvre une ouverture sur le dessus de ce poêle rustique. Il est plein de braises encore crépitantes. La cabane est donc habitée... D'ailleurs, j'entends des bruits de moteurs qui croissent rapidement.

Quelques instants plus tard, j'aperçois deux hommes sur des VTT. Un gros et un petit. Ils débouchent d'un chemin forestier qui mène à la cabane. J'ai l'impression de les avoir déjà vus. Le petit est coiffé d'un chapeau de paille.

Mais... Mais... c'est le chapeau que j'ai perdu aux Portes de l'enfer, *ça!*

Amis ou ennemis? Je n'en sais rien, mais après le cauchemar que je viens de vivre, je suis devenu d'une méfiance maladive.

Plus ils s'approchent, plus je suis convaincu d'avoir aperçu ces zigotos-là quelque part. Je cherche fébrilement dans mes souvenirs. Ça y est, ça me revient: ils étaient présents lors de l'assemblée du conseil municipal. On les avait pris pour des touristes désœuvrés.

Lorsque je découvre que ces prétendus touristes désœuvrés sont armés et qu'ils remorquent un jeune faon éventré, je n'hésite plus. Des individus capables de tuer froidement un petit animal sans défense ne peuvent pas être honnêtes. J'ouvre mon sac kangourou pour y prendre ma dernière bombe afin de les recevoir comme il convient.

Malédiction! Le sac est vide. Le fond a été déchiré sur toute sa longueur. Cela a dû se produire lors des nombreuses chutes que j'ai faites en remontant la rivière.

Les deux hommes vont bientôt entrer. Je sors en douce par la porte arrière. Ils n'ont rien vu. Je m'écrase dans l'herbe sous une fenêtre et j'écoute leur conversation.

— J'ai faim, c'est pas possible. Cette battue m'a vidé.

À l'intonation, je sais que c'est le gros qui parle.

— Il va falloir se faire une raison; les deux jeunes sont introuvables. De toute façon, ils se sont sûrement noyés — et c'est ce que nous voulions.

— Les morceaux de canots que nous avons retrouvés le prouvent.

— Il ne reste plus qu'à envoyer les autres les rejoindre.

— Le type de *L'International Gold and Diamonds* ne devrait pas faire d'histoires et nous payer le reste de nos gages aussitôt qu'on aura retrouvé leurs corps.

Qu'est-ce que j'entends là?

— On va mettre en marche ta dernière combine, puis on va se tirer d'ici. Je commence à en avoir assez de ce contrat. Ces trucs compliqués, ce n'est pas mon rayon. Il aurait été tellement plus simple de leur coller chacun une balle dans la tête.

— Le type a été catégorique: il fallait que ça ait l'air d'un accident. Et puis, de quoi te plains-tu? On va empocher cent mille dollars pour une petite semaine de travail. Et clair de nœuds, à part ça!

Des tueurs à gages...!

— L'air d'un accident! T'as failli tout faire rater avec ton idée de cartouches dans les cendres.

— Ça aurait pu passer pour une mauvaise farce. La police aurait pu croire que des jeunes voyous en étaient les auteurs. Et puis, avoue que mes autres trouvailles compensent largement cette petite maladresse.

— Je m'incline, c'est toi le cerveau. Mais dis-moi: qu'est-ce que tu comptes fabriquer avec ce faon?

— Tu vas voir: absolument génial! J'aurais dû y penser avant. On serait déjà en Floride en train de se faire rôtir le lard sur la plage en compagnie de deux belles poupounes.

— En tout cas, j'ai hâte de sortir de ce trou pourri. J'en ai assez de courir les bois nuit et jour.

— De toute façon, on a intérêt à ne pas moisir ici. Les canots que nous avons lâchés à la rivière ce matin vont bientôt être découverts. On va s'inquiéter au village et le secteur va devenir malsain. Allez, on avale ces sandwichs; il faut en finir. Le temps est venu de faire boire la grande tasse à nos oiseaux.

Ils se rendent à l'écurie. Lorsqu'ils en ressortent, ils portent le corps de Lorraine ficelé comme un saucisson.

Mon Dieu...!

Ils vont la déposer sur un affleurement rocheux qui surplombe la rivière à quelques mètres de la cabane. À côté, il y a quatre blocs de béton munis d'anneaux

Elle ne bouge pas... Est-elle encore vivante...?

Ils procèdent de même avec Roger, Berthe et Léopold.

En passant, je les entends dire:

— Il ne faudra pas traîner, l'effet des soporifiques va bientôt se dissiper.

Ouf, tout n'est pas perdu! Mais comment affronter ces deux crapules armées? Il faudrait les séparer...

— On n'aura qu'à les engourdir d'un coup de crosse s'ils gigotent trop.

— Hors de question! Le traumatisme n'échapperait pas au médecin légiste.

Lorsque le transport est terminé, le petit s'active à défaire les liens des parents.

Curieux...

Pendant ce temps, le gros apporte le faon près d'eux. Il plonge ses mains dans le ventre de la pauvre bête et en ressort un paquet de boyaux encore fumants et dégoulinants de sang à demi coagulé. Il les déroule, puis il les coupe en sections de deux mètres... avec ses dents! Un méchant rictus lui tord la bouche.

— Hin! Hin! Hin! Le crime parfait, je te dis! Je suis le génie de la liquidation en catimini!

Qu'est-ce qu'ils peuvent bien manigancer? De la magie vaudou, ou quoi?

— Je ne comprends toujours pas ta combine, dit le petit.

— Fais un effort. Avec les boyaux du faon, j'attache un bloc de béton aux pieds de chacun de ces futurs cadavres et je balance tout ce beau monde à la flotte.

— Bon, ils vont se noyer. Mais pourquoi utiliser ces boyaux?

— Parce qu'ils sont biodégradables, innocent!

— Je ne savais pas que tu te souciais à ce point de l'environnement.

— Je me soucie de l'environnement autant que du dentier d'Abraham Lincoln, imbécile! Dans trois jours ou quatre, la pourriture aura eu raison des liens et les cadavres remonteront à la surface. Ils entreprendront alors leur dernier voyage et on les retrouvera quelque part le long de la Maskawatec. Devant l'absence de traces de violence, on sera bien obligé d'invoquer l'accident.

— Y'a pas à dire, t'en as dans le chou, dit le petit en relevant *mon* chapeau pour se gratter le crâne.

Tout à coup l'autre le regarde en fronçant les sourcils. Il éclate:

— Tu vas me faire immédiatement disparaître ce chapeau.

— Pourquoi?

Le gros fulmine.

— Je me casse le cul pour goupiller un crime parfait et voilà l'autre qui se promène avec le chapeau de l'une des victimes. Ma foi du Christ, c'est du yogourt «passé date» que tu as à la place du cerveau! T'es trop con à la fin, je vais m'en occuper moi-même! Tu serais capable de le cacher sous le lit.

Le gros s'empare du chapeau et se dirige vers la cabane en soufflant comme une baleine.

C'est maintenant ou jamais!

Je me glisse de l'autre côté et j'entre avant lui, puis je me cache derrière la porte. Il va directement à la truie, l'ouvre et fourre le chapeau dedans. La paille sèche s'enflamme aussitôt. Il referme le panneau et se penche au-dessus du poêle pour ouvrir la clé du tuyau pour activer la combustion.

C'est à ce moment que le briquet, que j'ai placé sous la bande de mon chapeau avant le départ, éclate. L'explosion projette le rond de fonte dans le front du tueur à gages et l'assomme. Il tombe en avant comme s'il voulait étreindre la truie. Sous son poids, celle-ci se renverse et met le feu à la cabane.

Je sors en vitesse. Je me dissimule derrière un gros arbre et j'attends que son complice vienne aux nouvelles. Il ne peut même pas s'approcher de la porte, les flammes crépitent de toutes parts. Le bois vermoulu flambe comme de l'amadou. Déjà des relents de lard brûlé se répandent dans l'air.

Le bandit me tourne le dos. Je sors de ma cachette et lui plante ma pique dans les reins. Je mets juste assez de pression pour que deux ou trois centimètres de lame lui pénètrent dans la viande.

— Les pattes en l'air, espèce de fumier! sinon tu vas rejoindre ton gros cochon de copain!

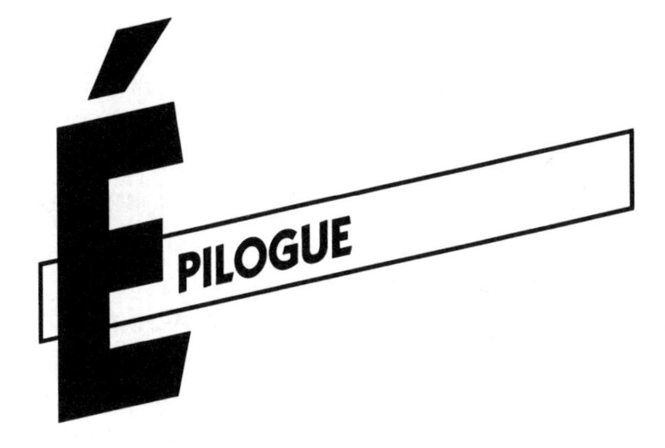

ÉPILOGUE

Le temps presse! Je ne peux pas attendre que les parents se réveillent et m'aident à ligoter ce sale type. Je ramasse un caillou gros comme le poing et je l'assomme. Il pique du nez sans même échapper un ouf.

Je saute ensuite sur un VTT et je vais chercher Émilie. Elle délire à plein tube. J'attache le radeau au véhicule et je le remorque de l'autre côté.

Lorsque je reviens, les parents ont repris conscience. Je leur explique rapidement la situation.

Léopold prend ma place au volant et démarre sans plus attendre. Il connaît à fond tous les sentiers qui sillonnent la forêt. Il a de meilleures chances que moi d'arriver à l'hôpital à temps. Lorraine et Berthe montent sur l'autre véhicule et vont prévenir la police.

Roger et moi, on reste sur place pour garder le bandit. On l'a ligoté à un arbre; il n'en mène pas large.

En attendant la police, mon père me raconte ce qui leur est arrivé.

— Lorsqu'on a entendu ce bruit infernal qui provenait de la rivière Noire, on a compris qu'il se passait quelque chose d'anormal et on a regagné la rive. Et c'est alors qu'on a vu arriver cet immense raz-de-marée qui vous a engloutis. On avait beau hurler à tous les diables, on ne pouvait rien faire pour vous aider. La fureur de l'eau était proprement démentielle.

— J'en sais quelque chose...

Il me regarde, étonné.

— Mais, on dirait que ta voix a changé...

— Un refroidissement, sans doute. Avec toute cette eau...

— La mort dans l'âme, on s'est résignés à monter le camp en attendant de pouvoir entreprendre des recherches. C'est alors que ces bandits armés ont surgi à l'improviste. Ils nous ont ligotés et emmenés jusqu'ici. Ce matin, ils nous ont donné à boire et on s'est endormis l'instant d'après. Voilà, c'est tout. Si tu n'étais pas intervenu à temps, on serait en train de se faire bouffer par les poissons. Je ne te remercierai jamais assez de nous avoir sauvé la vie.

Roger me met la main sur l'épaule et me regarde droit dans les yeux. Le scintillement des flammes s'y reflète et les font briller de façon inhabituelle. Des sanglots dans la voix, il déclare:

— Je ne crois pas que ce soit un refroidissement, tu sais. Je pense que tu es maintenant devenu un homme. J'ai refusé de l'admettre jusqu'ici parce que, inconsciemment, je pensais que ton vieillissement allait accélérer le mien. Je vais bientôt avoir quarante ans et j'avoue que ça me fait un peu peur. Comme toi, je suis en train de muer et je l'accepte mal. Je pense aussi que, sans trop m'en rendre compte, j'étais un peu jaloux de l'affection que ta mère te porte.

Il renifle un bon coup et ajoute:

— Les épreuves que nous venons d'affronter m'ont beaucoup fait réfléchir. Nos vies ne tiennent qu'à un fil qui peut se rompre à n'importe quel moment. J'ai compris que pour en profiter pleinement, il ne suffit pas de vivre sa vie en se regardant le nombril, mais il faut aussi la partager avec celle des autres. C'est pourquoi, à partir de maintenant, je vais essayer de m'ouvrir davantage.

Une boule dans la gorge, je ne trouve rien de mieux à dire que cette connerie pour détendre l'atmosphère:

— En somme, en t'ouvrant, tu vas devenir une sorte de Roger percé...

On éclate de rire comme des malades en se jetant dans les bras l'un de l'autre.

— Si je n'étais pas certain d'être ton père biologique, cette seule boutade me rassurerait sur le champ, hoquette Roger.

— J'espère que la boutade ne va pas te monter au nez, ajouté-je, histoire de le rassurer encore davantage.

Après, on a interrogé le tueur à gages. N'ayant plus rien à perdre, le malfaiteur s'est laissé tirer les vers du nez sans se faire prier.

C'est comme ça qu'on a appris que les deux hommes avaient été contactés par un type qui prétendait être à la solde d'une multinationale spécialisée dans la prospection de l'or et du diamant. C'est Léopold qui était visé, mais pour que la thèse de l'accident soit soutenable, il fallait assassiner tout le monde. La police retrouvera peut-être la trace de cette prétendue compagnie.

Mais nous, en attendant, on n'a pas manqué de se dire que si des gens n'hésitaient pas à commettre des meurtres pour empêcher Léopold d'exploiter la caverne, c'est que celle-ci renferme assurément quelque chose de beaucoup plus précieux que du charbon.

Quelque chose comme de l'or ou des diamants, par exemple...

NANDO MICHAUD

Nando Michaud a commencé à écrire pour les jeunes après un long détour par les mathématiques, l'informatique, la peinture, le roman pour adultes et bien d'autres activités tout aussi futiles.

Il écrit sans plan préalable en suivant une technique simple: il place ses héros dans des situations impossibles, puis il cherche un moyen de les tirer de là. Les difficultés s'accumulent d'un chapitre à l'autre et maintiennent le lecteur en haleine jusqu'à l'apothéose finale.

En dépit des embûches, les bons gardent leur sens de l'humour et finissent toujours par triompher. N'est-ce pas la preuve que la littérature n'a pas grand-chose à voir avec la vraie vie...?

Collection Conquêtes
dirigée par Robert Soulières

1. Aller retour
de Yves Beauchesne et David Schinkel
Prix Cécile-Rouleau de l'ACELF 1986
Prix Alvine-Bélisle 1987

2. La vie est une bande dessinée
nouvelles de Denis Côté

3. La cavernale
de Marie-Andrée Warnant-Côté

4. Un été sur le Richelieu
de Robert Soulières

5. L'anneau du Guépard
nouvelles de Yves Beauchesne et David Schinkel

6. Ciel d'Afrique et pattes de gazelle
de Robert Soulières

7. L'affaire Léandre et autres nouvelles policières
de Denis Côté, Paul de Grosbois, Réjean Plamondon
Daniel Sernine et Robert Soulières

8. Flash sur un destin
de Marie-Andrée Clermont
en collaboration avec un groupe d'élèves

9. Casse-tête chinois
de Robert Soulières
Prix du Conseil des Arts du Canada, 1985

10. Châteaux de sable
de Cécile Gagnon

11. Jour blanc
de Marie-Andrée Clermont et Frances Morgan

12. Le visiteur du soir
de Robert Soulières
Prix Alvine-Bélisle 1981

13. Des mots pour rêver
anthologie de poètes des Écrits des Forges

14. Le don
de Yves Beauchesne et David Schinkel
Prix du Gouverneur général 1987
Certificat d'honneur de l'Union internationale
pour les livres pour la jeunesse

15. Le secret de l'île Beausoleil
de Daniel Marchildon
Prix Cécile-Rouleau de l'ACELF 1988

16. Laurence
de Yves E. Arnau

17. Gudrid, la voyageuse
de Susanne Julien

18. Zoé entre deux eaux
de Claire Daignault

19. Enfants de la Rébellion
de Susanne Julien
Prix Cécile-Rouleau de l'ACELF 1988

33. Le cadeau
de Daniel Laverdure

34. Double vie
de Claire Daignault

35. Un si bel enfer
de Louis Émond

36. Je viens du futur
nouvelles de Denis Côté

37. Le souffle du poème
une anthologie de poètes du Noroît

38. Le secret le mieux gardé
de Jean-François Somain

39. Le cercle violet
de Daniel Sernine
Prix du Conseil des Arts 1984

40. Le 2 de pique met le paquet
de Nando Michaud

41. Le silence des maux
de Marie-Andrée Clermont
en collaboration avec un groupe d'élèves
de 5e secondaire de l'école Antoine-Brossard

en grand format

Les griffes de l'empire
de Camille Bouchard

Lithographié au Canada
sur les presses de
Métrolitho - Sherbrooke